每天 **10** 分钟，提升语言表达力

不害羞，
勇敢地公开发言

〔俄罗斯〕妮娜·兹韦列娃 著　　〔俄罗斯〕斯维特兰娜·伊孔尼科娃 著

〔俄罗斯〕阿拉·别洛娃 绘　　霍学雅 译

北京科学技术出版社

Presentation Master: How to Become Successful?

First published in Russian by "Clever-Media-Group" LLC

Text by Nina Zvereva and Svetlana Ikonnikova

Illustrations by Alla Belova

Copyright © "Clever-Media-Group" LLC, 2021

This Simplified Chinese edition is published by arrangement with "Clever-Media-Group" LLC through YOUBOOK AGENCY, CHINA

Simplified Chinese Copyright © 2022 by Beijing Science and Technology Publishing Co., Ltd.

著作权合同登记号　图字：01-2022-1189

图书在版编目（CIP）数据

不害羞，勇敢地公开发言 /（俄罗斯）妮娜·兹韦列娃，（俄罗斯）斯维特兰娜·伊孔尼科娃著；（俄罗斯）阿拉·别洛娃绘；霍学雅译 . — 北京：北京科学技术出版社，2022.5（2022.11 重印）

（每天 10 分钟，提升语言表达力）

书名原文：Presentation Master

ISBN 978-7-5714-2166-3

Ⅰ . ①不…　Ⅱ . ①妮…　②斯…　③阿…　④霍…　Ⅲ . ①语言表达—少儿读物　Ⅳ . ① H0-49

中国版本图书馆 CIP 数据核字（2022）第 038236 号

策划编辑：陈　茜	电　话：0086-10-66135495（总编室）
责任编辑：陈　茜	0086-10-66113227（发行部）
营销编辑：王　为	网　址：www.bkydw.cn
图文制作：史维肖	印　刷：北京宝隆世纪印刷有限公司
责任印制：吕　越	开　本：889 mm×1194 mm　1/16
出 版 人：曾庆宇	字　数：31千字
出版发行：北京科学技术出版社	印　张：10
社　　址：北京西直门南大街16号	版　次：2022年5月第1版
邮政编码：100035	印　次：2022年11月第2次印刷
ISBN 978-7-5714-2166-3	
定　　价：79.00元	

目录

第3章 **重要的不是你讲了什么，而是你讲的内容有多少被人记住了** ／ 38

第 4 章 **图片是很重要的，对吗？** ／ 52

简介

"演讲"和"送礼"有什么相通之处呢?

如果有人问,什么是演讲,你会怎么回答?很多人认为演讲是面对台下的众多听众,在幻灯片的辅助展示下发言。不少人甚至认为,演讲只不过是念幻灯片罢了。然而实际上,演讲是带有一定目的、有明确意识的发言,它既不是情绪的肆意爆发,也不是朋友之间轻松愉快的闲聊,而是需要你事先做好准备的自我表达。

演讲有各种各样的呈现方式。在朋友的生日会上,你祝她生日快乐并说一些祝福语,这就是一个小小的演讲,通常你所说的祝福语会被称为祝酒词,你应该事先想好怎么说。你参加学校举办的奥林匹克竞赛,要在大礼堂的讲台上做一个关于有机化学的报告,在场师生都在听你讲话,这也是一种演讲。甚至,当你向妈妈解释为什么应该允许你去参加朋友聚会的时候,你说的话也是一种演讲。

体会一下演讲的微妙之处。当你对妈妈大喊："你和爸爸什么都不许我做！大家都可以去，为什么就我不能去？为什么你们总是把我当小孩子？"这不是演讲。但如果你能强压怒火，冷静思考那些可能改变妈妈想法的论据，然后条分缕析地讲述出来，就可以算作演讲了。

演讲要求你清楚地了解听众的需求，然后满足他们的期待。演讲与送礼异曲同工。演讲是向听众展示一些信息，更重要的是，你要提供一些像礼物一样能够取悦听众的内容。

如何知道听众对你的"信息大礼"是否满意呢？通过他们的真实反应就能看得出来。

虽然你会不停地给自己打气："没关系，我已经做好了充分的准备，努力就行，重在参与！"但通过观察同学们的反应，你心里很清楚，大家并没有认真听你的有机化学报告。虽然老师给报告打了满分，但你的同学们不感兴趣。

同学们似乎更喜欢听你做关于时尚的演讲，因为好几个同学就演讲中的某个时尚相关问题跟你争得面红耳赤。这其实是一个好兆头！如果听众表达了与演讲者所持的不同意见，这恰恰表明他们专心地听了演讲；如果听众向演讲者提问，这意味着他们在认真思考演讲者的发言；如果听众对演讲内容的信息来源感兴趣，这代表他们对演讲内容饶有兴致。这些迹象都表明你的演讲正中靶心，契合目标。关于演讲目的的问题，我们将在第1章进行讨论。

大家好！我们又来啦！我们还有礼物要送给你哟！！！

7

大家好！我们是妮娜·兹韦列娃和斯维特兰娜·伊孔尼科娃。有一天，我们俩突发奇想，计算了一下我们究竟听过多少场演讲，自己做过多少次演讲。

算完之后我们意识到，如果把这些演讲的演讲稿打印出来，沿赤道放置在地球表面，都可以绕地球好几圈了。

妮娜·兹韦列娃

8岁开始从事与电视相关的工作，现在已经70岁了。62年以来，她要么亲自登台表演，要么教别人表演。她教过的学生有大公司高管、企业家、市长和州长。此外，妮娜·兹韦列娃还经常给各年龄段的孩子上课。她坦言，给孩子上课比给成人上课难，但却更有意思：成人需要两小时学会的内容，孩子用15分钟就能掌握。

她是两届俄罗斯电视最高奖项——"塔菲奖"的获得者。她的三个孩子和六个孙子远居大洋彼岸。

帮帮团

诺奇卡　　科特　　别斯

斯维特兰娜·伊孔尼科娃

作家、高等经济学院的教授，以课程闻名的博客作者。五年前的她认为书面语言简单得像母语，口头表达难得就像外语。但现在她具备超凡的表达能力，可以轻松讲故事，在各大高校做讲座和培训，以及教别人如何创作有趣的文章。

目前她还没有孙子孙女，但是她大儿子养了一条狗，她高兴地叫道："万岁，我可以当狗狗的奶奶了！"

我叫霍马！

你或许纳闷，为什么她要说"狗狗的奶奶"呢？赶紧记下这条演讲的黄金法则：保持神秘，给听众留下印象。你是不是还记得"狗狗的奶奶"这个词呢？怎么做才能让听众记住你演讲中传递的重要信息呢？这些我们将在本书中告诉你。

我们对你只有一个至关重要的要求。你当然可以只看书，但是，这不是最有效的学习方法。你要学的是如何演讲，纸上谈兵是行不通的，你需要的是学好理论并且多加练习。因此，在每章的末尾，我们都会给你留一个小作业，

你要做的就是完成这些作业，这就是我们提的小小的、重要的要求。我们保证这些作业很有意思，要记得做哦！等读到第10章时，你就能感受到，演讲对你来说竟然变得如此轻松，你可以表现得如此从容不迫。总而言之，你会飞速成长为演讲大师。

（如果你害怕登台讲话怎么办？别担心，我们也会告诉你解决方法。你知道有多少像你一样害羞的人吗？大有人在呢！在人群中比例高达70％！害羞的问题我们一定帮你解决！）

第1章
什么是演讲？

本章讲什么？

你知道吗，早在发明幻灯片之前，人类就可以进行成功的演讲了。原则上，幻灯片并不是演讲的必备要素。图片、视频、音乐等都不是。那成功演讲的必备要素究竟是什么呢？我们在第1章就要讨论这一点！

演讲是什么？

演讲的准确定义是什么？

想象一下：朋友叫你一起去打乒乓球，可是之前你连球拍都没碰过，你想着不如借此机会去学一下，于是就答应和朋友一起去体育馆。一开始你一点儿都不会，突然你开窍了，可以接几个球。你喜欢上了这项运动，以至于高兴地一路小跑回到了家。"爸爸妈妈！"你一进家门就喊道，"我们周末一起打乒乓球吧！简直太酷了！我和萨沙打了整整两个小时！我现在已经打得很不错了呢。周末我们一起去吧！"

你这段发自肺腑的话算是一次演讲吗？很遗憾，并不是。这只是一种情感的外露。但是，如果你酝酿好和家人一起打乒乓球后，再去了解一下你家附近哪些健身中心可以打球，打一小时的费用是多少，场馆开放时间是几点到几点，进球馆是否需要随身携带球鞋，然后再把你的计划完完整整地告诉父母……

那么恭喜你，你已经做好准备发表一场名为《家附近打乒乓球最全攻略》的演讲了。这个演讲言简意赅，也没有幻灯片。正如我们上文所说，幻灯片不是演讲的必备要素。

演讲就是一段深思熟虑的发言。

接……我……一……球……！

明天一起去健身中心吧，我们可以一起打乒乓球！

演讲有哪些类型呢？

我们一起来数一下，演讲有哪些类型。演讲可以是按照个人想法来进行的（如果是你自己想做的），也可以是按照老师的要求进行的（如果是给你留的家庭作业）；可以是理论型的，也可以是实用型的；可以使用或是不用技术设备；时间可长可短，气氛可轻松亦可严肃。

如果我们现在要对所有演讲做一个分类，那么这本书可能会是现在的三倍厚（可能还会更厚）。演讲可以是各式各样的，比如我们在同一天里可能会看到一个10岁女孩做的"关于猫"的命题演讲和一个15岁男孩在国际科学研讨会上做的关于物理学的演讲。在我们这本书里只选择最重要的演讲类型进行介绍。

顺便说一下，演讲的主题、内容的深度跟演讲的质量之间没有任何关联。关于猫的演讲很可能比物理学的演讲成功十倍。

演讲有成功和不成功之分。

我的演讲更好！关于猫的演讲更好！我的就是更好！

哈哈哈，当然是我的更好！

为什么有些演讲不成功？

造成演讲不成功的原因有很多，但其中最主要的原因是演讲者在做准备时，默认无论如何听众都会听，观众也会看，并且认为所有人都能正确地理解演讲内容。为什么会这样呢？

原因在于，演讲者在为他的演讲挑选幻灯片时，只求贴合主题，却从没考虑过演讲对于听众来说同时也应该是浅显易懂且妙趣横生的（最好也是有用的）。

而有经验的演讲者则有另一番表现。他们首先会搞清楚演讲的听众，之后再弄明白听众对于该演讲主题的了解情况。

有一次，一名18岁的师范大学女学生亚娜被派到一个偏远的地区实习。"亚娜，"教导主任对她说，"接到上级领导指示，我们要去莫什基诺村开展一堂儿童教育讲座。你要负责写一篇关于积极倾听的稿子，告诉家长应该如何与孩子沟通。"

虽然亚娜是个聪明的学生，但由于社会经验不足，她没怎么想就立刻同意了。不知怎么的，她认为莫什基诺村的妈妈们应该和她的同学们差不多。更准确地说，亚娜甚至没有认识到她要做的不仅是一场演讲，而是面对某个特定群体的一次表演。她精心挑选了幻灯片，仔细考虑了示例，然后就动身前往莫什基诺村。

这位是亚娜。

在大厅里，她见到了五十位莫什基诺妇女。其中最年轻的一位已经有了两个孩子（孩子看上去已经到了上学的年纪）。亚娜告诉她们，在沟通过程中应该多使用以第一人称"我"为主体的句子，并运用积极倾听的技巧。当演讲进行到第十分钟时，她被听众嘲讽的声音打断了。

"小丫头！"，一个女人喊道，看她的年纪，亚娜确实能当她女儿，"丫头，你有男朋友吗？"

亚娜羞得从头红到脚，支支吾吾地说："没有。"

"那你先在这里找个男人嫁了，生个孩子，然后再给我们讲这套时髦话。到时候你就知道要不要打孩子了。"女人对着亚娜指指点点，一脸得意地说。

听众们哄堂大笑，亚娜羞愧地跑出了大厅。

亚娜犯了什么错误呢？怎么做会表现好一些呢？

但是，听众的举止也确实欠妥啊！

成千上万演讲者向我们抱怨："听众太懒了，什么都不想做！""你什么都要给他们解释——他们什么都不明白！""他们只听他们想听的！"诸如此类。

听众确实没有义务做任何事情——不用听，无需理解，也不必参与其中。

而演讲者的任务是以一种让听众愿意倾听、理解和积极参与的方式进行演讲。亚娜错就错在没有搞清她的听众是

👉 在演讲之前（甚至在开始准备演讲之前）你需要问自己三个问题（你可以将这三个问题记录下来，也可以拍个照保存好）：

1. 我的听众是谁？

2. 他们对我的演讲主题了解多少？

3. 他们喜欢什么？他们在乎什么？

别分我的心！我需要做准备。明天要给孩子们演讲呢。

现在或许还有鱼……

15

谁。如果她能意识到，她这个18岁的小姑娘要给一群已经人均生养了两三个孩子的妇女做演讲，那么她就会换一种方式组织演讲了。她不会用命令的语气指导听众应该如何对待孩子，而会开玩笑地表示，她不得不班门弄斧一下。也就是说，亚娜会放下老师的架子，转换成信息提供者的角色。她也许会这么说："我不知道什么样的教育方式才是正确的，也不确定正确的教育方式是否真的存在。我的任务就是给你们介绍一下国内外的现代心理学家们都持有什么观点。所以，我将向大家介绍几种教育方式，大家可以自由决定在生活中使用哪一种。"

关于如何转换角色，我们将在接下来的章节中详细说明。但现在，请记住这个公式：

好的演讲 = 演讲内容 x 听众的注意力

如果演讲内容准备得不充分，那么即使有最忠实的听众，演讲效果也不会好。如果内容很好，但人们并没有听你讲话，那么演讲也是不成功的。毕竟人们没有接收到你的信息。

不要伤心！下次就好了！

抓牢呀，霍马！

演讲的时候还可能犯哪些错误？

接到演讲任务后，演讲者在没有明确具体要求的情况下就匆匆做准备。结果，到了讲台上才发现根本没有提到老师或老板交代的事情。这种情况很常见。因此，为了避免这种错误的发生，在开始做准备之前，请你先与老师确认，自己对演讲题目理解得是否正确，比如：要准备的是不是关于科学研究方法的演讲？是否需要把方法分成观察法、实验法、模拟法等？

不要怕老师嫌你烦，这总比你做完演讲后发现根本与要求不符，需要重做要好得多。

一定要确认演讲题目！

只需要确认题目吗？
还有其他要注意的事项吗？

还有一种情况也经常发生：演讲者知道演讲题目，却不清楚演讲时长。有的人辛辛苦苦为科学大会提前准备了半个小时的演讲，结果除了他本人外，参会的还有二十多人，平均下来一个人的演讲时长不能超过五分钟。

这时应该怎么做？五分钟内加速播放所有幻灯片，速度快到让图片从静态变成动画？还是只播放其中三四张重要的幻灯片，其他的略过？这两种选择似乎都不理想。所以你最好提前了解清楚你的演讲时长以及其他人的演讲题目。

时间就是金钱！

伊万在上课的时候闷闷不乐。我们问他怎么了。他说自己丢人了，很不开心。

原来，伊万参加了学校举办的科学大会，他为大会精心准备了《关于20世纪初俄罗斯社会不平等现象》的报告。结果，在他发言前，同年级的一个女同学做的演讲题目刚好也是这个。最后，伊万只能像鹦鹉学舌一样把别人说过的话又重复了一遍。"我又没有准备其他题目的报告！"伊万的情绪有点激动，"我能怎么办呢？"

其实，在开始准备报告之前，伊万就应该弄清楚其他同学都选择了哪些题目，这会大大降低演讲题目"撞车"的风险。但是，如果已经出现了这样尴尬的情况该怎么处理呢？这时候就需要你随机应变，巧妙地与听众互动。关于这一点，我们会在第9章和第10章中详细讨论。

三思而后行啊！

能不能预判自己的表现呢？

没有人能百分之百确保你的演讲大获成功，但有一个方法可以显著提升成功率，那就是练习。

上台之前先在家里用录音机练习。你必须大声诵读你的演讲稿，否则练习就是无效的。如果你只在脑海中过演讲词，似乎一切已经准备充分，看上去胸有成竹，你感觉自己随时都能上台演讲，但是当你开始说话时，你的思路会断断续续，眼神会乱飘，连嘴巴也开始不听使唤，你说出的将不是"网状结构"这个词，而是"嗯－嗯……大脑的一部分……嗯－嗯"，犹如卡壳一般。

如果你的演讲练习不是对着录音机，而是直接讲给听众，比如说你的父母、朋友、兄弟姐妹，那就更好了。你可以直接告诉他们："我有两种呈现方式，不知道该选哪个，想听听你们的意见，你们是怎么想的赶快告诉我吧。"这样一来，大家会自然而然地进入听众的角色，认真听你发表演讲，提出宝贵意见。相信我，他们肯定会带给你惊喜的。

然后灯亮了，在幻灯片上闪现两个字"结束"。

宝贝呀，你可真聪明！

别信奶奶的！

出问题了怎么办呢？

在准备的过程中，你其实能够感觉到演讲存在的一些不足之处。我们在一开始就提到，在准备演讲词之前，你一定要明确三个问题，需要再三确认听众会对你千辛万苦准备的演讲感兴趣。

你自己喜欢这段演讲吗？你也会对演讲题目提不起兴趣吗？如果是这样的话，那就换个题目吧。如果没法换题目，那就试着搜索一下与题目相关的有趣素材，把它们加到你的演讲词中。如果还是不行的话，就想想最近有什么有意思的热点话题，将该话题关键词与你的演讲题目一起搜索一下，看看它们之间是不是有一些关联的信息。

打个比方，一名汽车迷在准备关于自己的家乡梁赞①的演讲稿时，搜索了一下"梁赞"和"当代汽车"有什么关联点，结果他发现，在梁赞，当地一所大学的学生基于加兹②卡车制造了一辆无人驾驶汽车，并且凭借这一发明参加了全国和国际机器人比赛，都获得了很高的荣誉。

由此，这位聪明的学生把他的演讲报告命名为《现代化的梁赞》，讲述了他的家乡在汽车制造方面的成就。

---

① 梁赞：俄罗斯中部的一个城市。
② 加兹：Gazelle，俄罗斯汽车品牌。

真棒！

自己做！

想一想，给一年级的孩子做演讲时要准备些什么呢？怎么做才能让这些六七岁的孩子听懂你在讲什么，而且还听得饶有兴致呢？

道理我都明白了，然后要做什么呢？

不能做	可以做
觉得自己什么都不用准备就能上场。	提前准备演讲，多多练习。
你做的演讲别人都不感兴趣。	弄清楚听众的喜好，做与此相关的演讲。
你自己对演讲题目都提不起兴趣。	就算题目无聊，也能发散出有意思的点。

不好

很棒的挂图！

举个例子

有一天，妈妈让姐姐卡佳教妹妹阿尼娅数学乘法表。阿尼娅无心学习，卡佳也没有急着让妹妹死记硬背，而是准备先向她解释乘法表的原理。

卡佳用摆放火柴棍的方法向阿尼娅解释了什么是乘法，然后和妹妹一起为乘法表想出押韵的口诀，便于背诵。例如：六七四十二，阿尼娅编小辫儿。虽然韵脚押得有点无厘头，但是阿尼娅确实一下子就记住了这个口诀，想忘都忘不掉。

第2章
你想讲什么?

本章讲什么?

想必大家都清楚,演讲不是讲给自己听的,你的发言永远是为听众准备的!但是作为发言的人,你可是手握话语主动权。

你怎么知道你的表达意愿是否与大家的倾听意愿同步呢?最重要的是,你自己是否清楚你想表达什么。这就是本章我们要一起讨论的话题。读完这一章,你就会明白如何确定演讲的目标和主题思想。

我的演讲题目是《与猫斗智斗勇的生活》或者《如何被坚果蒙蔽理性》。

发言之前要三思

有一次，我们的一个学生在听到"演讲就是有特定意识的发言"时，激动地说："哇，那我岂不是一直在演讲？我说话前总是要想一想，那我的发言就是有意识的啊！"

其实这样理解是不对的。演讲是向世界展示你的想法，这与在课堂上回答问题或是与奶奶聊天不一样。演讲必须体现你的想法，而且演讲是有一定结构的。

我们将在接下来的章节中讨论演讲结构，现在先解决演讲的中心思想问题。就算你是被迫接受任务，要在学校做演讲；即使你抱怨着："我对蠕虫这个题目一点想法都没有！我演讲纯粹是被迫的，干脆就按课本来算了！"，你的演讲也不能脱离主题思想。

你可以在网上找到多少有关蠕虫的信息，是不是远比你想象的要多？其中哪些信息可以放进你的演讲里呢？你会如何处理这些找到的信息呢？这些都是你需要提前想好的问题。如果你的思路清晰，那么演讲效果想必也不会差。

（本书的编辑建议我们用猫代替蠕虫为例，担心蠕虫会引起读者不适，但是猫就不一样啦，比较招人待见。所以我们之后会采纳编辑的意见，用猫来举例。）

无论如何，在进入正题之前，先问自己两个问题。

演讲就是表达你的想法。

简直是歧视！大家都对蠕虫有偏见！哼，以后都用猫举例吧！

25

第一个问题：我的演讲是关于什么的？

当你第一次构思演讲内容时，听到这个问题心里肯定在想：多么愚蠢的问题啊！我当然知道我要讲什么！于是，你拿出一张纸，打算用三言两语概括出演讲内容。突然间，你又会发现，把你的演讲清楚地表达出来并不是那么容易的事情。

一想到要准备的演讲，你的脑子里可能会出现无数个想法。你需要把这些想法串起来，总结出一个中心思想，这也就是我们所说的"你的演讲是关于什么的？"的问题。

还有一点很重要：当你阅读写在纸上的文字时（即便那是你自己写的），信息实际上是和你分离的。也就是说，你可以从侧面对其进行审视，自行判断一个句子是否有必要改成加逗号的复句（不要笑，我们有时会看到这样的句式），还是你会有其他更好的表达方式。

而且，如果你习惯于在纸上写出多个思路，然后选择一个最好的，而不是孤注一掷，一条路走到黑的话，那么你

演讲最重要的部分！

唯一的建议！

关于什么的演讲？

的演讲质量会有很大的提升。我们希望你能明白，当我们说"写在纸上"的时候，其实"纸"指的是任何介质，纸、笔记本电脑、手机都行。写在哪里并不重要，重要的是你可以看到你写下的文字。

好了，现在你决定要做一个关于猫的演讲（还记得吗？我们换掉了蠕虫的题目）。现在你有题目了，但还没有主旨。所以接下来要进入主旨的部分了。

如果你在纸上写下一个思路，然后觉得不满意怎么办呢？这可太正常啦！那就再写一个更好的呗，你的演讲也会更成功。

第二个问题：围绕题目讲什么内容？

有一次，我在给电视台的年轻记者培训时说："你们不能抱着'我就是要写一个幼儿园开园的报道'这种简单想法。"

"为什么不行呢？"记者们惊讶地问道，"确实就是开了一家幼儿园啊！"

"首先，你需要确定一个题目：这个演讲主要讲的是什么？"我解释道，"然后明确你的写作目标——你想在这个故事中表达什么观点？"

其实，基于幼儿园开园这件事完全可以有数十个完全不同的写作思路。

你能想出三个来吗？不妨把你想出来的与下面年轻记者列出的思路比较一下。

"比方说，如果幼儿园在建设期间出现了一些工程安全问题，那么就可以据此写一个该幼儿园违规建园，一年后

这座幼儿园就像一个艺术品一样！

停业整修的报道。"一位记者是这样建议的。

"或者可以拍摄一个在建的幼儿园，再追踪一下这所幼儿园在建设之前是什么样子的，两者可以做一下对比。"另一位记者提出一个不同的想法。

"题目还可以是'幼儿园越开越多，年轻父母排队让孩子入园的时代一去不复返'。"有的人说道。

"或者表达一下小区里孩子越来越少，幼儿园在建数量供过于求的担忧。"

第四个建议出现了。

"还可以讲述一下现在招聘幼儿园老师和保育员比建造幼儿园还要难的情况。"这是第五条建议。

由一句话可以萌生出很多想法。事实证明，有的人想法多一些，有的人少一些。这时候年轻记者们终于意识到了：如果缺乏创作目标，就会完全不知道该写些什么。这个道理放到演讲这件事情上也同样适用。

仔细想一想可以找到很多答案！

我能想出十个来！你能吗？

也就是说，关于猫的演讲也需要找到一个目标？

当然需要啦！围绕这一话题你可以说点什么呢？例如，你可以说，猫是所有宠物中最独立的，很难被驯化，或是介绍尤里·库克拉切夫剧院[①]训猫的方法，抑或讲述饲养小猫的注意事项。

不要觉得光有演讲题目就足够了，演讲目标并不重要——这样想会给确定演讲目标带来困难。

"如果做一场关于民主型政府形式的演讲，"我们班的学生玛丽娜说，"我可以想到什么演讲目标呢？其实，目标就蕴藏在题目之中。我必须告诉大家什么是民主。虽然这个词经常被提及，但有时候并不能被正确理解。"

"对的，这就是目标，玛丽娜！"我打断了她，接着补充道，"我们经常听到'民主'这个词，但不是所有人都能正确理解它。打破刻板印象——这就是你的演讲目标。"

"确实如此，"玛丽娜恍然大悟，"我现在懂得怎么做这个演讲了。太棒啦，我一定能把它做好！"

如果先在脑子里构思好演讲目标再去准备演讲，可能会文思泉涌。

这是什么？

哇，又想出一个！

①尤里·库克拉切夫剧院：位于莫斯科市，是世界上唯一一个以猫为主题的剧院。

事实上，只要找对方法就能事半功倍。按照这个方法，相信你能在最短的时间内准备好一个演讲。

还记得我们在第1章提到的那个和朋友打乒乓球的例子吗？那个男孩尼基塔成功说服了父母一起去健身房打乒乓球，后来他疯狂地爱上了打乒乓球，以至于在健身房打乒乓球都无法满足他了。

夏天的时候，尼基塔去村里看望他的爷爷奶奶，他想趁机说服他的父母和祖父母买一张乒乓球桌。我们建议尼基塔不要把他想要什么放在第一位，首先要考虑一下，对他的父母和祖父母来说，什么是重要的。如果以这样的方式呈现信息，可能他们自己就会主动提出在房子附近安装一张乒乓球桌。也就是说，要根据目标受众的需求构建你的演讲。尼基塔很快就想通了："我的演讲目标是阐述乒乓球对祖母、祖父和爸爸妈妈而言是有所帮助的。"

尼基塔跟家人强调，乒乓球是最方便的运动，即使是那些被医生建议禁止跑步或从事其他体育活动的人也可以打。他的演讲简洁有力、结构合理，大家都听得很认真。爷爷说："我小时候可得过乒乓球训练营的冠军啊！你说得对，应该买一张乒乓球桌！"从那以后，尼基塔天天和爷爷还有村里的朋友们一起在乒乓球桌上厮杀。

你注意到了吗？演讲题目是关于乒乓球桌，而演讲目标却是谈论乒乓球运动对家人的好处。

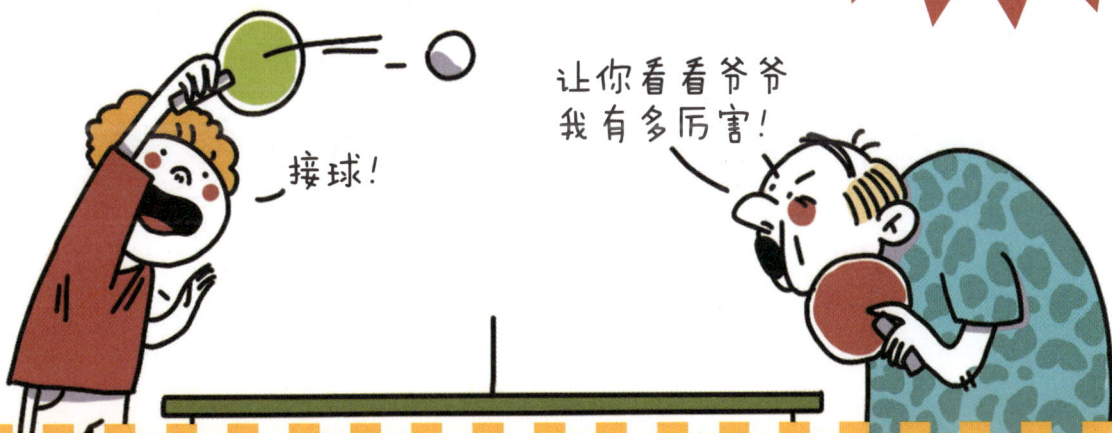

接球！

让你看看爷爷我有多厉害！

即使你做的是物理学的报告,也要想一想你的演讲目标是什么。是获得满分吗?是想讲一些会让听众大吃一惊的事情吗?是想引发听众的思考吗?还是你想介绍一下个人经验,分享实验成果?

演讲目标没有好坏之分,目标不同,演讲内容也就不同。如果你赢得了目标受众的喜爱,那就意味着你的演讲是成功的。

如何知道我是否吸引了目标受众呢？

其实很简单，看看这张图你就知道了。几乎所有的营销人员在介绍产品前都会参考这张图。

假设你自己就是那个要被推销的"商品"，你比在场的任何人都清楚演讲主题。"客户"就是你的目标受众。你要向客户贩卖那些能让他们兴奋和感兴趣的东西。

你掌握的信息中有一部分是目标受众根本不感兴趣的。还有一部分是可以引起受众兴趣的信息，但你又不是很确定。这两种情况还有一个交叉的区域，那就是既是你熟知的，又是受众感兴趣的那部分信息。这是我们现在需要讨论的！这也是你的目标！

你在这方面是行家

在这方面是外行

营销商品

客户

唉，科特在这比划什么呢？

出问题了怎么办呢？

你在演讲的过程中，就可以意识到人们到底有没有在听你说话，他们对你准备的东西感不感兴趣。

任何人都有可能犯错。这时候你可以告诉自己："是的，这次我没有猜中听众喜欢听什么，这次的演讲是失败的。"但是要尽快从悲伤的情绪中走出来，像忘掉一场噩梦一样忘记它。当然了，你也可以抓住机会，换一个话题再搏一次（如果你真的对下一个话题很有把握的话）。你可以说："朋友们，我看你们对于养猫的话题不太感兴趣，那我换一个海豹的话题如何？"或者说："如果我要做一个关于猫的演讲，你们想知道点什么？"

可能你问完之后大家无法立刻回答你。这时候你需要抛出一些比较具体的问题，循循善诱："总之，提到'猫'这个词你们会想起什么？你们中有多少人家里养猫？它们做过什么捣蛋的事情吗？"

在一问一答的过程中，你可能需要重新组织你的演讲稿。你能做到吗？如果能做到，那可真是太厉害了！做不到吗？那你可能就要收获一次顶着压力、硬着头皮的演讲体验了。关于如何与听众沟通这一点，我们将在第9章详细讨论。

软乎乎的小猫咪

猫咪就长这个样子！

我们就是这个品种的猫！

自己做！

假设学校让你在课上做一个演讲，想一想：你打算将什么定为演讲主题？演讲目标又是什么？在课堂上你打算告诉同学什么？

演讲小贴士

试着填一下吧！

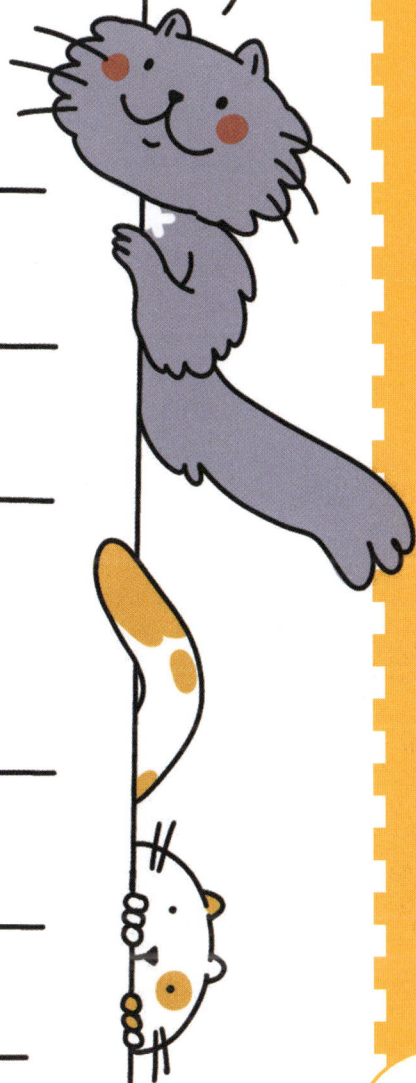

祝你成功！

主题：

_____

_____

_____

救命

目标：

_____

_____

_____

道理我都明白了，然后要做什么呢？

不能做	可以做
• 照本宣科地准备演讲稿，把书上的内容复制粘贴到幻灯片上。	• 演讲前先确定主题和目标。
• 演讲没有针对性，面对不同的听众都用同一套演讲词。	• 明确你的受众，了解他们对此次演讲内容的熟悉度。
• 幻灯片和演讲内容关联性不大。	• 准备独一无二、有个人特色的演讲。

可以打光啦！

举个例子

阿琳娜是一个谦逊的女孩，在学校的表现平平无奇。其实，她也梦想着有朝一日成为备受喜爱的班级明星。"所以我必须想个办法让大家眼前一亮，"阿琳娜心想，"我会玩溜溜球，可是如果直接给大家展示的话，他们会不会以为我在炫技啊？如果展示完一些技巧再解释一下相关的原理，是不是会好一些？我可以带我的溜溜球去课上，让大家都试一试。这既是一次演讲，也是一次溜溜球的练习！"

在阿琳娜的班里，每个学生都要定期做一次自由话题的演讲。轮到她时，她带着溜溜球来到学校，展示了溜溜球的花式玩法，教给同学们一些简单的技巧，效果出奇的好。课上，阿琳娜被大家的问题狂轰滥炸，半数同学还受她的影响，打算自己买一个溜溜球。那次课后，每天都有人跑到阿琳娜身边讨教练习技巧。她真的成了明星。这就是了解目标受众需求的奥妙所在！

看，就像这样！

哇！我也想学！

我做到啦！

第3章

重要的不是你讲了什么，而是你讲的内容有多少被人记住了

本章讲什么？

如果人们对演讲者说的话不感兴趣，他们能坚持听几秒钟不走神呢？是的，别怀疑，只有几秒钟，半分钟都不到。正确答案是八秒半，也就是说，基本上听众全程都在走神。所以你明白了吗，听众专心听讲对你的演讲来说有多么重要！只有这样他们才能记住你究竟说了些什么！在本章中，我们将告诉你如何做到这一点。

8.5秒

准备好了！开始吧！大家注意啦……

嗯……我担心……大家不喜欢……

霍马和恐惧

为什么大家不听你演讲呢？

人们抗拒听讲是一种习惯，而且这个习惯从一年级就开始了……不，也许从幼儿园就开始了。不信你可以观察一下别的孩子。当父母或者爷爷奶奶责骂他们淘气时，虽然孩子的眼睛看着家长，但你可以从他的眼睛里读出来：他根本没有在听家长讲什么，完全把大人说的话当作耳旁风。想想我们自己，谁没有过假装认真听讲，实际上脑子里在开小差的经历呢！大家应该都深有体会吧！

讲台下的情况同样如此，没多少人愿意认真听。此外，还有一个悲剧性的问题：学校没有开设演讲课程，也就是说，没有人专门教大家应该怎样在公共场合讲话。有些演讲天才可以无师自通，但大多数人就没有这么幸运了。他们演讲的时候喃喃自语，快速切换幻灯片，重复着众所周知的大道理，还特别喜欢说一些官方的客套话，自以为这样会让发言听上去更睿智……听多了这种无聊的演讲，听众其实早就进入了心理戒备状态："又演讲？肯定会很无聊！"现在，轮到你上场去打破这种刻板印象了，快跟我们一起学习如何在讲台上表现才能赚足听众的注意力吧！

快看我们准备了什么！

必备计划！

演讲计划
1. 确定题目
2. 明确中心思想
3. 设立目标
4. 多次练习
5. 准备上场

如何强迫大家听我演讲？

你无法强迫别人听你讲话，只能吸引，而且仅仅吸引到一个人也是不够的，你需要引起全场听众的兴趣！

想象这样一个场景：你正在做一个关于欧洲地理的演讲，现场有30名听众。季马坐在中间的第二个座位，他是足球迷，明天要参加市里的一场足球锦标赛。你觉得他现在在想什么？没错，肯定不是在思考欧洲地理。达莎坐在左排四座，她喜欢季马。你猜她现在在想什么？没错，肯定也不是在思考你的演讲。达莎的后面坐着谢尔盖，他喜欢的人是达莎。右侧的第三排坐着两个女孩——奥莉加和丽特卡，她们俩整天在聊化妆品和衣服。阿尔乔姆坐在第一排，酷爱旅行，是在场的人中最有可能听你讲欧洲地理的人。但是他的父母明年要在村子里盖房子，面对阿尔乔姆想去捷克、德国和意大利的旅行要求，他们的回答是："不，我们要先把房子盖好，待在村里哪儿都不去！"你给阿尔乔姆讲欧洲地理就像在他的伤口上撒盐。

总而言之，你们班没有一个人是带着期待来听你演讲的，没人想着："嗯，我多么想听别人给我讲讲欧洲地理呀！"而你浑然不知，还在雄心勃勃地准备着演讲。

考虑一下听众的需求。

在准备演讲的时候，不要只想着自己要说什么，多思考一下如何激发听众的兴趣来听你演讲。

关于欧洲地理的这个演讲我该何去何从呢？

让我们来告诉你该怎么做。

如何吸引大家听我演讲？

最起码，你要了解你的听众，他们要么是你的同班同学，要么是和你年龄差不多的年轻人（如果是在年级大会上），要么是学校的老师们（如果你演讲完还有老师给你评审的话）。

在开始准备演讲之前，请先回答我们在第1章中提到的几个问题：

1. 关于听众你了解多少？

你掌握的信息越多，准备起来就越容易。

2. 听众对你的演讲了解多少？

如果你说的都是众所周知的东西，那你的演讲不可避免地会变得很无聊。但是如果你说的内容太艰涩生僻，大家又会完全听不懂。

3. 大家喜欢什么，关注什么？

他们的想法是什么？他们的兴趣点是什么？他们担忧的是什么？列一个关于这些问题的清单，你对听众的了解越深入，就越容易吸引他们的注意力。

大家好啊！

大家究竟想听什么啊？

冷静一下！

天呐！他怎么啦？

41

我列好了清单，该怎么应用呢？

现在我们就给你解释一下应该怎样应用。在回答第三个问题的时候，你肯定写了一条：他们喜欢轻松欢乐的东西。什么？你没写？！那就赶紧补上这一条！每个人都喜欢开怀大笑，尤其是当代年轻人。据统计，小孩子每天笑的次数多达300次。当然，你的同龄人笑的频率可能没这么高，但是你们相比已经步入社会的成年人来说已经算是笑口常开了，有些成年人甚至一整天都不笑！不过你们离成年人那些头疼的现实问题还远得很。

所以，提前准备几个笑话吧。如果你觉得听众的注意力正在减退，那就讲个笑话逗逗大家。就算没有人走神，你也可以开一个玩笑，活跃一下气氛，讲笑话始终是一种可以赢得听众好感的方法。但要注意，不是随便什么笑话都可以讲，笑话应该与演讲主题相关。

你一定也写了"大家都喜欢跌宕起伏的情节"这一点，对吧？没写吗？那把这条也加到列表里吧！世界上的文学、电影，甚至连电子游戏都离不开跌宕起伏的情节。

想象一下，你们正坐在教室里写测验题，突然一个蜘蛛侠跳到教室临街的玻璃窗上。我相信，这时班里没有人还会忘我地做题，连头都不扭一下吧！如果有的话，那他也太有定力了！

出其不意是吸引听众的必杀技。

啊呀！

伊戈尔在班里吗？！

如何在演讲中制造出其不意的效果呢？

你可以制造任何令人意想不到的效果！比如说，在讲柏林墙的倒塌时，你可以突然从口袋里掏出一块石头，说："看，这就是柏林墙的一部分"。听众的全部注意力肯定会瞬间集中到这块石头上。由于石头在你的手中，所以听众的注意力其实就都落到了你身上。接着你再跟大家坦白："其实不是啦，这是我在上学路上随便捡到的一颗石头。但是很多去柏林的游客真的想去墙边抠一些石头带回家。据说那儿的纪念品商店会卖柏林墙脱落下来的石块，每块售价3~5欧元。没准这些店铺里卖的石头就是老板在街上随便捡的石头呢。"

在这一段里，你给大家制造了两个出其不意的转折。首先，你掏出一块柏林墙的石头，这让大家大为惊喜，接着你又跟大家说出真相，这让大家大失所望。这之后你就可以轻松地把话题引到柏林墙上，顺便还可以谈论当代的伪造技术。

这就是从柏林墙上脱落下来的！留个纪念吧！

这不是我的！！我能脱落多少石头啊！

纪念品骗局！

如果做一个关于猫的演讲，我要带一只猫去现场吗？

这样可不行，这就变成猫的主场了，你还演不演讲了？即使你是一个演讲天才，你的风头也很难不被一只可爱的猫咪抢了去。大家会把所有的注意力集中到猫身上，爱猫的人可能会摸摸猫、逗逗猫，怕猫的人估计会大惊失色，愤怒地大喊："哎呀，我过敏了，赶紧把猫带走！"总之，现场会相当混乱。

你可以选择用一段短视频来展示猫，这样可以轻松地带领大家进入主题，同时也便于控制场面，收放自如。

我们班有一个叫然娜的女孩，她做了一个关于石头的演讲。乍一听，这个演讲主题似乎平平无奇，但是，然娜的演讲效果却出奇的好。原来，然娜把几颗手工宝石带到了现场。此外，她还准备了幻灯片，里面插入了好多宝石的图片。例如讲到绿松石时，她就把幻灯片播到相关页面并在手上展示真正的绿松石。

演讲结束后，许多人跑过来围住她，想近距离观察一下这些璀璨夺目的石头。听众之所以感兴趣，正是因为他们不仅看到了照片，还看到了实物。当然了，然娜能把演讲做得这么好也是因为她本人酷爱石头，对它们非常了解。她梦想成为一名珠宝商。逢年过节，她的亲戚送给她的礼物不是衣服或手机，而是砂金石、玫瑰石或闪锌矿样本。

演讲主题的趣味性也很重要！

?!

这块石头有点吓人啊……

如何让大家爱听我的演讲，记住我的演讲？

你不需要让听众把你的演讲内容一字不落地全记住。你的任务是让他们记住演讲的主题思想。还记得我们在上一章中谈到的演讲题目和目标吗？你的目标是让每个人都记住你要表达的想法。

有一种演讲方法在西方国家十分流行。这种方法就是重复加深印象法。在演讲开始时，进行的过程中，以及结尾的时候，每抛出一个新的论点都用一个例子来证明你的想法。你在准备演讲的过程中就要按照这样的模式多加练习，这样一来，你的听众根本就没有机会忘记演讲的主要内容。

你是明确了演讲目标和主旨之后才开始正式准备的吗？

猫又温柔又可爱又优雅！

而且猫漂亮极了！

当然了，猫也是一种非常强大的动物！

说得好！

说得对！

重复加深印象法由来已久，古罗马执政官老卡托（古罗马作家、政治活动家，历任财务官、大法官、执政官等职）就频繁使用这种方法，他在元老院的每一次演讲都以"必须摧毁迦太基"这句话结束。虽然老卡托在每次演讲中只说了一次这句话，但他一天要进行多场演讲，这样算下来，这句话出现的频次也相当高了。

我们普通人不大可能一天做三场演讲，所以请你抓住宝贵的机会，每次演讲都把你的主要观点多重复几次。德国专家认为，在时长10分钟的演讲中，中心思想应该被重复5~7次。为什么要如此频繁呢？因为演讲中提供的信息对于听众来说都是新鲜的，要记住这些可不容易。首先需要引起他们的兴趣，吸引他们的注意力，然后帮助他们理解这些陌生信息。在准备演讲的时候，你为了记住这些内容想必费了一些力气，所以为了让听众记住它们，你也需要帮助他们做同样的事情。噢，对了，我们有一个问题要问你：

请大家看一下这幅函数图，记下来……

他在说什么？（走神中……）

看我的美甲做得不错吧？

好看！

讲得好差！

都说了一个小时了！

坐得累死了！

你觉得应该如何吸引听众的注意力？

先暂停一会儿，别往下读了，问问自己，究竟应该怎么做？

有想法之后，把答案写在下面。

想得怎么样啦？

现在把你的答案和我们的比对一下吧：

演讲稿是一种较为复杂的文体。一般情况下，在听演讲的时候，听众很难不走神。但是，演讲者可以通过向听众提问的方式来提升大家的专注度。首先，问答式的交流方式不会让人感到无聊。其次，这样可以帮助听众记住演讲内容。主动思考的人比被动接受的人在掌握信息时要快得多。

向听众提问可以吸引他们的注意力。

一场成功的演讲应该有这样的效果：听众不仅认真听取了你的发言，还可以向别人复述听到的内容。这种情况下，你就可以问心无愧地对自己说："我的演讲被大家记住了！"

喵呜！   喵喵   汪！

出问题了怎么办呢？

无论怎么做都没人听你演讲？你展示了有趣的图片，讲了好玩的笑话，问了大家一些问题，但是没有得到任何回应？

不可能吧。如果展示了图片、讲了笑话又提了问题，听众的注意力怎么都会落到你身上。如果所有这些都不起作用，那么肯定是哪里出了问题，比如说一些不同寻常的东西把听众的注意力吸引到别处去了：七月突降大雪、火警警报响了，还有可能是我们之前提到的蜘蛛侠出没。

这种情况下你该做何反应呢？你需要试着接近分散听众注意力的事物，然后把听众的注意力重新拉回到自己身上。比如说，如果演讲的时候突然出现了蜘蛛侠，你可以开玩笑地说："看来今天我要和蜘蛛侠一起做演讲了。让我们一起来采访一下他，弄清楚他来找我们究竟有何贵干。"然后你会发现，当你站在蜘蛛侠旁边时，听众的注意力又回到了你身上。但要是火警警报响了，你还是中断演讲，和大家一起有序撤离吧，这时候再翻幻灯片就有点愚蠢了。

你们这是去哪儿啊？我还有图片和毛线球没展示呢！

嘎嘎

苏联著名教育家阿莫纳什维利在他的一本著作中提到，有一次上课上到一半，外面突然开始下雪（当地并不是经常能看到雪），于是他对二年级的学生说："孩子们，穿好衣服，我们到外面去！"于是大家不上课了，一起跑到外面看雪景。大家高兴坏了，有的孩子甚至还用舌头尝了尝雪花的味道。

　　阿莫纳什维利解释说，如果他当时假装什么都没发生，继续上课，孩子们是无论如何都听不进去的。他们肯定很想摸摸雪花，生怕雪一会儿就化了。

好美呀！

自己做！

你有去旅行的梦想吗？想去一个你很想去但从没到过的地方？准备一个关于这个地方的五分钟演讲，试着讲给父母听。想一想，你演讲的中心思想是什么？你准备讲什么笑话？想用什么样的照片？有什么问题要问你的父母？晚餐过后，大家酒足饭饱，快把你的成果展示一下吧！

道理我都明白了，然后要做什么呢？

不能做	可以做
把演讲搞成讲座的形式。	问听众几个问题，引导他们进行讨论。
中心思想就粗略地提了一次。	多重复几次演讲的中心思想，援引不同的例子作为佐证。
注意到大家都没有认真听之后，假装什么都没看到。	搞清楚听众被什么分散了注意力，试着接近那个事物，然后把听众的注意力重新拉回到自己身上。

这是行不通的

如果这样都没成功说服父母，你要确认一下，现在不会是在做梦吧？

举个例子

韦罗妮卡一直梦想着去圣彼得堡旅行，但她在那儿人生地不熟，没有什么亲戚朋友。她的父母又不喜欢到处旅行，所以去圣彼得堡的计划迟迟无法实现。"有什么可去的？不就是一个城市，就那个样子嘛，看看网上的照片不就行了。"韦罗妮卡的妈妈这样说。

但是韦罗妮卡没有放弃，她给妈妈详细介绍了圣彼得堡。此外，她还在书店买了一张圣彼得堡地图，详细地制定了三日旅行路线，把每一天的行程都安排得一清二楚，最后她把计划图交给了妈妈，指着地图跟父母解释，在涅瓦河畔的圣彼得堡可以做哪些有意思的事情。终于，她说服了全家一起去旅行！

秋天放假的时候，韦罗妮卡和父母去了圣彼得堡。从此之后他们一家爱上了旅行，并把它发展成了家庭传统。每次爸爸妈妈给韦罗妮卡指定一个城市，她负责挑选旅游景点、规划路线，然后像经验丰富的导游一样带领父母到处游玩。现在，韦罗妮卡在上初中，计划中学毕业后学习和旅游相关的专业。她表示非常有信心学好，因为她已经积累了丰富的经验。

哈哈！

我能不能先去厨房看一眼，看看鸡烤得怎么样了？

等等！我这儿需要你参谋！

第4章
图片是很重要的，对吗？

本章讲什么？

任何电视、报刊新闻的编辑都会告诉你，故事中最重要的就是图片。当然，文字也很重要，但是如果缺少摄影师拍摄出来的画面，记者很难单纯靠语言把事情描述得很生动。你可以用文字形容一个人的外表，也可以直接展示他的照片。你可以高声夸赞体操冠军的表现，也可以播放一段比赛视频。总而言之，图片和视频总是比文字更具有说服力。

这是否意味着干脆把演讲做成一组图片或者一段视频展示就好了呢？这样也是不行的，读完本章之后你就会明白为什么了。

你们在搞什么啊？！

瞧瞧我们！

到底要不要放图片呢？
我还是没明白

没有幻灯片的演讲就像是无尾猫。有是有，但是很少见。而且猫没有尾巴也是有原因的。比如说，无尾猫是在打斗中失去了尾巴才变成这样的，而没有幻灯片配合的演讲可能是因为突然停电了。但是也要注意过犹不及的问题。如果你的演讲里用了太多图片、视频、图表，这就像在一只无尾猫身上补了三十条尾巴——多此一举。

现在我们先一起来看看什么样的幻灯片是不可取的。

▶ 1. 纯文字

不要在幻灯片里写满密密麻麻的文字，听众阅读起来会十分困难，而且你也不应该总是背对听众朗读幻灯片里面的内容。想一想那些背对着听众讲幻灯片的演讲者们，他们大多看起来缺乏经验。

因此，不要插入纯文本的幻灯片，除非演讲主题是关于这个文本的，你必须向大家展示文字，以便他们了解内容。

我曾经在课堂上向学生们展示了两张幻灯片，其中一张的文本写得不太好，另一张的文本则非常优秀。通过二者对比，学生和我一起找出了第一个文本中存在的问题，然后一起学习了第二个文本的写作技巧。

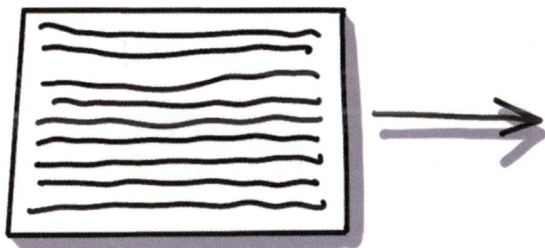

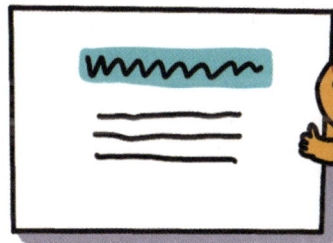

第二个文本！

▶ 2. 图表

幻灯片里要不要插入图表是一个很复杂的问题。一方面，当你需要直观地展示一些数字时，图表确实很有帮助。另一方面，你也可以想象，面对无尽的曲线和小数点说个不停，围绕一堆数字和图表做演讲，听众会感到很疲惫。

如果在你的演讲中，图表是必不可少的东西，那么尽量把图表做得简单明了一些，想想用什么方式能让听众一目了然。要删除什么吗？需要放大数据吗？还需要调整什么？现在想想图表是不是非用不可？

这都是些什么东西啊？

3. 视频

这也是一个非常有争议的元素。一方面，视频的确可以赚足眼球。可另一方面，听众是来听你的演讲的，不是来看故事片的。因此，如果你要在演讲的时候播放视频，那就尽量选择一个短一点的视频吧，不要超过一分钟。否则，听众的注意力很快会被视频吸引过去，然后时间一长热情就消减了。

别……

可以不用这样吧……

《战争与和平》

第一部分

下面让我们一起来看一个微电影……

不想看！

我都睡着了……

也就是说，只剩下图片可以选择了是吗？

也不是，你也可以选择文本、图表和视频，但要谨慎使用。不过演讲中使用图片确实更常见一些。

想象一下，还是这本书，同样的作者，同样的文字，但是没有图片。你读起来是不是更困难了？答案是肯定的。但同时，图片也要有选择地使用，不能来者不拒。插画师画的图不是天马行空的臆想，也不是积压了三年的旧作，而是贴合本书内容创作出来的。

同样，我们也要学会筛选合适的图片加以使用。像史蒂夫·乔布斯（iPhone、iPad 等苹果系列的产品都出自他的灵感）这样有才华的演讲者也常常在他的演讲中使用图片，而且使用的时机非常恰当。乔布斯演讲时使用的图片只出现在那些需要极力吸引听众注意的关键时刻。此外，史蒂夫·乔布斯几乎从不转向屏幕，他总是面对听众讲述画面中所展示的内容，这让人觉得他信心满满，把握十足，掌握了该主题的所有信息。虽然实际上这都是他提前为演讲做的准备。

嗯……可以这样吗？

这位就是我们的插画师

这些插图是专门为这本书设计的，对于其他出版物不适用。

向史蒂夫·乔布斯学习！

在我的演讲中，可以使用多少图片呢？

在商业演讲中有一条金科玉律：对每张图片的讲解不应少于两分钟。如果你真的想一次性展示很多张图片，你知道彩排时导演或摄像师会跟你说什么吗？他们会说："就讲一张吧，还有其他人要讲，节目时长有限。"

在我们教授的成人演讲班里有一个名叫克谢尼娅的女孩。她25岁，长得很漂亮，喜欢旅游。她每次在社交网络上发布的旅行动态都要配20~30张照片。发完动态后，克谢尼娅看到粉丝没有把她发的照片看完还会不高兴。

"谁让有意思的照片太多了呢！"她感叹道。

还毛了好几张照片……

一周照片1845张

太可怕了！

我们建议克谢尼娅挑一张最好的照片上传。

这对于她来说确实有些困难，克谢尼娅浏览着意大利旅行的照片，犹豫了很长时间，终于下定决心选择了一张照片：她兴高采烈地坐在威尼斯的贡多拉①上，她的头发被微风吹拂着，在阳光下闪闪发光。

为了配合这张照片的发布，克谢尼娅写了一篇威尼斯之旅的短篇游记。没想到她这个只有一张配图的帖子收到了好多的点赞。

唉，她这样做也是实属无奈！

她既没有过多地向读者输出文字信息，也没有上传很多照片从而让大家望而却步。那些对威尼斯感兴趣的人会去专门的旅游网站上阅读具体的信息；那些没有去过威尼斯的人就算看过无数张照片也不会像去过的人那样感同身受；而对于那些去过的人来说，一张照片就足以让他回忆起自己上次的旅行。

你觉得，为什么这个只有一张配图的帖子会收到这么多点赞呢？

① 贡多拉：意大利威尼斯特有的传统小船。

克谢尼娅真棒！这张照片的氛围真好！

如何挑选一张好图片？

我们在这里介绍的规则也同样适用于摄影。整个画面最重要的部分应该位于中心或者线条的交叉点处。

想象用"井"字格将你的图片9等分，两条垂直线和两条水平线的交点即观众注意力的焦点。在翻阅照片和图画时，首先我们会注意到位于这几个交点的内容（即使照片和图画中没有标尺）。如果图片中你最想展示的部分恰好位于"井"字线的交叉处，那么这张图片就是成功的。

就是这样的

检查图片背景也是非常重要的，因为我们常常太过关注拍摄重点而忽略了背景。如果前景是一张美少女的脸蛋，背景是一只正往餐具柜上爬的猫咪，观众肯定会迷失重点甚至哈哈大笑起来。一般来说，无论后面爬的是什么猫，以餐具柜做背景都不是明智的选择。

你可以在手机中检查照片是否符合要求。选中照片选择"编辑"功能，你可以看到照片中出现了"井"字格线条。你想要展示的东西是否落在线条交点的位置呢？照片的背景部分或者人的面部是否模糊？

除了餐具柜，还能有更糟糕的背景……

59

还有一个问题：一张在电脑上看起来不错的照片在大屏幕上显示出来就变成马赛克一样模糊（通常，幻灯片里的照片是通过投影仪投放到大屏幕上的）。为什么会这样呢？你仔细看看照片的文件大小是多少，是不是只有 50 KB？

啊！好沉！

总之，如果你正在考虑是否要在幻灯片里插入图片，请先问一下自己这个问题：为什么我要插入这张图片？如果你能自圆其说，列出这张图片的优势在哪里，那就放心大胆地使用吧，相信这张图片可以帮你大忙。

图片最好是主体简洁明了，背景颜色柔和。

这是我们在意大利的时候拍的。

在把图片插入幻灯片之前，先在电脑上把格式调好，确保图片可以清晰完整地显示出来。

咦，为什么看起来模模糊糊的呢？

在听众欣赏图片的时候我应该做什么？

这是一个好问题！听众看图片的时候，演讲者站在一旁干等着就会显得很糟糕。你需要及时对图片做一些阐释，但是要注意，千万不要背对听众讲话。

你的目光要始终朝向听众，可以偶尔瞥一眼图片，边用指示棒指一指，边评论照片中展示的内容："你们看，玫瑰丛布满了锋利的刺，大家看这里和这里。你们觉得为什么玫瑰花需要这些刺？下面我来向大家解释一下。"然后再次转向听众。

我的这张照片真好看呀，大家看！

这张图是怎么回事？

蜜蜂是哪儿来的？

为什么会有蜜蜂和花朵在这儿呢？

我不太明白图片指的是什么，照片也可以放进去吗？

"图片"这个词指的是任何视觉上可以感知到的图像，具体包括图画、照片、素描，甚至是几个词语。一个词也可以通过一张图片呈现出来，甚至一个数字都可以。

我在进行公开演讲时展示了一张幻灯片，上面只写了一个数字"3000"，旁边画了一个人头。"你们觉得这是什么呢？"我问听众。有人回答："我们每天被问3000个问题"。有人说："我们每天问别人3000个问题"。有人说："我

们每天听到3000个单词"。有人说："我每天收获3000份快乐！"然后大家一起向这个人投去羡慕的目光。

实际上，3000是每个人平均每天收到的信息数量。通过这样一种方式，这个数字就这样深入人心了。

你觉得为什么大家都牢牢记住了"3000"这个数字？对啦，因为数字被呈现在大屏幕上了，而且听众也参与了这个猜谜游戏，这些都加深了大家的印象。

作者想通过这张图片表达什么？

别人是想表达想法，科特就想着吃！

出问题了怎么办呢？

怎么都找不到适合演讲的图片该怎么办呢？比如说，你需要介绍中世纪欧洲人的日常生活，却没有可以用的照片怎么办呢？

丹尼尔就遇到了这样的问题。刚得知演讲题目的时候他不知所措，突然他灵光一闪：虽然没有照片，但是有图画啊！丹尼尔想起最近和爸爸去博物馆看过一位荷兰艺术家的展览《勃鲁盖尔父子画选》（彼得·勃鲁盖尔，文艺复兴时期布拉班特公国的画家，以农村生活和农民形象的画作闻名），画里面有不计其数的人物，勃鲁盖尔用画笔记录下了中世纪人们丰富多彩的日常生活。丹尼尔确定他的演讲救星就是勃鲁盖尔。于是他搜索了几幅勃鲁盖尔的画，将其插入幻灯片中用于向观众介绍中世纪生活。

哇！

这是中世纪时期的猎人在打猎。

自己做！

演讲技巧都已经掌握得不错了，对吧？那就给同学们做一个关于演讲技巧的演讲吧。如果你还能邀请到老师给学生们做这个演讲，那就太棒啦！

道理我都明白了，然后要做什么呢？

不要 →

不能做

- 在幻灯片里插入几十张图片。
- 给听众展示图片的时候保持沉默或是背对听众。
- 插入很多图表或者文字。

可以做

- 选择最适合的几张图。
- 给大家描述一下照片或者图画中有什么。
- 尽可能选择可以最清楚地展现演讲主题的图片。

怎么样，我厉害吧？

很棒！霍马，你干得不错！

举个例子

有一次，娜斯佳去二年级的教室里找妹妹达莎。在与老师的交谈中，老师向娜斯佳抱怨，孩子们都不会演讲。擅长演讲的娜斯佳提议："让我给他们讲一讲吧！"。

一周后，娜斯佳在二年级学生面前做了一场演讲。老师非常喜欢她的演讲，当着同事的面对她连连称赞，说她用简单明了的语言让孩子们真正明白了应该如何做演讲。此后，娜斯佳又受邀在该校和邻近几所学校做了十次演讲。演讲大获成功，各个学校的老师们都来向她道谢。这次的经历为她后来申请学校填写简历提供了非常大的帮助。

65

第5章
怎样开头，怎样结尾呢？

本章讲什么？

世界上有许多成功的演讲者，他们的成功看似不可复制，因为无论是他们的表演风格、展示方式，还是演讲口音等都各有各的特点。但是成功的演讲都有一个共同点：一段饱含热情的开场白和一个令人难忘的结局。

一场演讲能否成功50%取决于开场白和结尾是否精彩，有时候它们的权重可能会更高。在本章中，我们将讨论什么样的开场白和结尾才能为你的演讲增色。

为什么开头和结尾这么重要？

你可以试着想一想。如果你的演讲一开始就没能吸引到别人，谁还会在乎你的结尾是什么呢，反正没人想听。（别生气，这只是假设，我们相信你的演讲会很吸引人的！）但如果你一开始就赚足了眼球，最后大家却失望而归，悻悻离场，这种情况下其实也没有人会记得你的开场白有多棒。

任何情绪带动下的表演都像唱歌一样。一首歌里面最打动人心的部分是什么？没错，就是最后一句。如果你在一开始用一段俏皮话、一个有趣的点子吸引了听众的注意力，那么到最后你需要用更刺激的东西来结束前面精彩的演讲。

开头和结尾需要分别准备，甚至需要逐字背诵。

无论如何我们都不建议你通篇背诵演讲稿，这可能会直接导致失败，请你千万不要这样做！但是，背诵演讲词的开头和结尾绝对是有必要的。

在演讲的时候你可以有详有略，在某些地方停顿，将不必要的地方直接跳过。但开头和结尾部分你必须考虑得面面俱到，甚至具体到要用什么样的语调。

要想得周全。

但是开始的时候大家都不太听演讲者说话

演讲者走上舞台就算什么都不说，也会成为全场关注的焦点。但是这份关注并不会持续多久。研究表明，人们只会在一场演讲的前8.5秒仔细聆听。之后如果演讲没有更多亮点，他们就会失去听下去的兴趣。

> 打开手机里的计时器，开始念下面这段文字，看看9秒内你能念到什么地方。

也许你只能念几句话，因为9秒实在太短了。你能想象你认真准备的开场白只能在8.5秒内吸引听众的注意力吗？

计时开始！

别紧张！

如何留住听众的注意力？

第一个技巧是不要马上讲话。听众的注意力确实只会在你身上停留8.5秒，但是8.5秒的倒计时是从你开始讲话的那一刻开始的。因此，在开始演讲之前，请冷静地走上讲台，环顾四周，调整呼吸，然后再正式开始。

卡琳娜为人雷厉风行，是出了名的急性子。她的体内似乎放了一台永动机，做什么事情都非常迅速，她唯一不能做的事情就是等待。

在很长时间内，她都无法做到在演讲之前等待片刻。有时候，她甚至还没上台就开始了演讲，听众只闻其声不见其人。听到即将轮到自己演讲的时候，卡琳娜就立刻从候场椅子上跳起来，边跑边说话。离讲台还有好几步呢，她就开始了演讲："今天呢，我们要谈谈校服！我针对学生、家长和老师三类群体做过一个调研。大家猜猜谁最主张强制穿校服呢？"

向听众抛出一个问题，然后引出你的演讲是个很好的方法，但是她发问的时机不对。在她开始说话的时候，观众席中还是一片骚乱，话筒的噪音也干扰很大，所以很多人其实根本没听清卡琳娜的问题。我们也问过卡琳娜："你就不能冷静一下再上台吗？对了，你可以试试默背一首诗！你给自己设定一个严格的规则，比如把一首诗背完之后才能开始演讲。"

独怜幽草涧边生，上有黄鹂深树鸣……后面是什么来着？

卡琳娜，别忘了你还要演讲呢！

1 诗

最重要的是选择一首合适的诗，既不要太长，也不要太伤感，同时卡琳娜自己也要喜欢。最终，她选择了马雅可夫斯基的一首短诗，诗里面最耳熟能详的就是那句"劳您大驾，请把我的双耳梳理"。

从那以后，卡琳娜每次从候场的椅子起身后，都会先默背这首马雅可夫斯基的短诗。默背这首诗的时间足够她走上讲台，调整好呼吸。此外，这个方法还有一个重要的好处：它已经成了卡琳娜演讲前的仪式，如同上台表演前吃了一颗定心丸。

2 情节

第二个技巧在于演讲中故事情节的设计。注意，不要一股脑地把精彩部分讲出来，有所保留才会让听众有所期待。

以下句式可能会对你有所帮助："你们知道吗……"，然后开始讲一些不寻常的事；"让我们从一个故事开始"，接着讲一个小故事；"大家想象一下……"，这时候你可以假设一种情况，情节可以有所夸张；"接下来的事可能会让你们大吃一惊……"，你可以用一个出乎意料的情节转折让听众大吃一惊。

你们知道吗……

第三个技巧是试着使用一些似乎相互矛盾的事实。例如，你可以说："每个人都知道蝴蝶要经历毛毛虫阶段才能化茧成蝶，但是恐怕很少有人知道，毛毛虫有时候比蝴蝶更美丽。现在我就可以证明给你们看。"接着你可以打开一张幻灯片，上面出现一只亮绿色底纹带着红色大波点的毛毛虫和一只鹰身女妖哈耳庇厄[1]的照片。你看，这就是一个很简短但是十分抓人眼球的介绍。

3
事实

15岁的伊万在做一个社会科学的演讲时是这样开场的："一百年前，50岁的人就属于老年人了。在场的同学们，谁的爸爸在50岁左右，请举一下手。"全场大约三分之一的人都举起了手，大家面面相觑，惊讶地倒吸了一口凉气，谁也没有意识到，自己看上去依然雄姿英发的爸爸在过去都要被划进老年人的行列了。

"其实，明年我也五十岁了。"突然他们的老师也笑着感叹道，然后全班又唏嘘起来：苗条美丽的伊琳娜·伊戈列夫娜看起来一点也不像一个老太太啊。伊万这个绝妙的开场白得到了大家极大的关注，每个人都在等待着后续的惊喜。可喜的是，伊万最终不负众望，圆满完成了这次演讲。

[1] 哈耳庇厄：古希腊神话中的鹰身女妖。

我马上就要50岁了！

谁算老年人？

我爸52了！

我爸56！

我父亲55岁！

那怎么结尾呢？

什么样的结尾是精彩的？判断起来很简单。如果演讲结束后，听众不停地发问，或者看得出来他们没有听够，或者他们真诚地为你鼓掌，那么你的演讲，包括演讲的结尾就是成功的。

最不幸的事情就是，演讲者还有五到十张幻灯片没讲完，听众就不想再继续听下去了。他们心烦意乱，要么不耐烦地看着窗外，要么无聊地把课本翻得沙沙作响，要么早早就埋头钻进手机的世界。虽然我们希望这种情况永远不会在你身上发生，但是不瞒你说，每个演讲者一生中至少有一次会面临类似的场景。

那么，什么样的结尾会让听众不由自主地感叹一句"哇，好棒啊"，还意犹未尽，急着问你问题？下面我们就介绍一个有效的技巧：在结尾重复一下你在演讲开始就已经表达的观点。你可以说："我希望你们现在已经记住了世界上最大的蝴蝶生活在哪个国家。我相信你也永远不会忘记：有时候毛毛虫比蝴蝶要美丽得多。"

因为这样的结尾会给听众留下一种

你觉得为什么这一招很管用？

你觉得呢？

I 你的演讲是经过深思熟虑、充分准备过的印象。听众感觉到自己被重视时，必然是开心的。反过来，随便糊弄的、未经排练的演讲总会令人恼火。

你肯定读到过疯狂歌迷的差评吧。他们去看最喜欢的歌手或乐队的演唱会，结果偶像在台上表现不佳：要么是有明显的醉态，要么是看似清醒，但完全没有热情，要么是连连忘词，歌迷们给差评也就不足为奇了。

同样地，演讲者随心所欲的即兴表演必然会引起听众的反感。相反，有所准备的演讲会把听众吸引到他身边。

以首尾呼应的形式来结束就是演讲经过精心准备的重要标志。

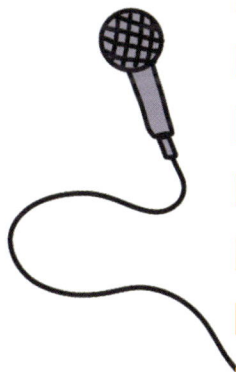

以首尾呼应的形式来结束就是演讲经过精心准备的重要标志。

有什么问题吗？

能再详细地讲一下吗？

我对你说的这个观点有些疑问……

我的问题还挺重要的……

我也有问题……

我有一个小小的问题！

第二个技巧是向听众发问。尤其当你的演讲不是由一连串的事实组成，而是讲述一个有争议的故事或是展示几种不同意见时，这种技巧是最合适的。

还记得我们前面提到的卡琳娜关于校服的演讲吗？当时她谈到了自己的调研：调查显示，家长最支持强制学生穿校服，老师的支持度则要少一点，学生最不赞成。接着她问听众："你们怎么看，为什么家长如此积极地支持学生穿校服？你同意家长的看法吗？"现场听众踊跃回答，气氛特别热烈。多亏了这个精彩的结尾，卡琳娜获得了演讲冠军。

你知道为什么吗？我们在本书的开头就提到了这一点！卡琳娜向听众提问，这显示了她对听众的尊重和重视。她对大家说："我不是只想与你分享调研结果，你们的意见对我来说也很重要。"谁会拒绝一个向自己求助的人呢？没有听众会拒绝的。

以听众的回答作为演讲的尾声是个很好的范例。卡琳娜只需要配合听众的反应，让大家畅所欲言，同时控制现场局面不至于太混乱。关于如何与听众互动，我们将在第9章讨论。

你们知道这是为什么吗？

学生 5%

父母 55%

老师 40%

穿校服支持率

第三个技巧是在演讲结尾处来一个大反转，抛出一个与之前观点相矛盾的观点，将你之前所说的一切都推翻。所有的笑点都在于结尾的大反转。

打个比方，你可以这样讲故事："很久很久以前，在一个遥远的国度里住着一条巨龙。每天早上他都要飞到城里吃掉一个女孩，然后逃之夭夭。为了对付这条巨龙，举国上下殚精竭虑。人们向巨龙宣战，修建堡垒，开枪射击，扔炸药，种种方法都试过了，就是无法击退巨龙。终于有一天，一位卓尔不群的英雄来到了这个王国，他看到巨龙，拔出利剑向它劈去，将其一分为二，然后把它吃掉了。"

看到没？最后一句话是不是出乎你的意料？虽然我们真诚地同情那个遥远国度的人民，希望巨龙早日得到应有的惩戒，但是大家绝对不会猜到巨龙会是这样的下场。当然了，并不是所有的演讲都可以采用这个方法，但是如果你突然想到合适的反转结尾，不妨一试！

反转式结尾可以使演讲令人印象深刻，赢得掌声阵阵。

美味极了！

出问题了怎么办呢？

如果你觉得自己很难想出一个立刻吸引听众的开场白，那么试试下面这个技巧吧。

先按照你原本的想法在电脑上敲出一个开场白，即使你觉得遣词造句毫无新意也没关系。比如说这段："我们都知道，秋分过后，白天越来越短，夜晚越来越长，气温也越来越低。在莫斯科，十月份的平均气温会降至7度。"写到这里，想必你也很清楚，这样的开场白平平无奇。不过别担心，迈出第一步就好。

5~7分钟后，再手写出更吸引人的句子。例如："你知道莫斯科十月的气温曾经高达24度吗？在1915年、1966年和1999年的十月，莫斯科的气温曾经三度高达20度以上。"如果你再列举一下其他年份的十月里，莫斯科曾出现零下5度的例子，以此作为对比（比如1920年10月30日，气温为零下20度），那你的开场白肯定会特别吸引眼球。

现在就可以删除你之前写的所有内容了，因为你有了一个更好的开场白！

自己做！

你在学校肯定有最不喜欢的科目吧，例如物理、数学或历史什么的。想一想，如果现在让你围绕物理、数学、历史的主题做演讲，你会怎样开始？又会怎样结尾？

道理我都明白了，然后要做什么呢？

不能做	可以做
● 演讲冗长又无聊。	● 开场惊艳，赚足眼球。
● 没有考虑演讲应该怎么结尾。	● 提前构思结尾，最好是首尾呼应。
● 还没走上讲台、还没等到全场肃静就开始演讲。	● 给听众留下思考空间，营造意犹未尽的感觉。

诺奇卡，你在哪儿啊？快帮帮我！

举个例子

伊拉的化学不太好。她觉得自己根本不适合学化学。她听一个学姐说，快速掌握一门学科的最好方法就是给别人讲出来，于是伊拉决定围绕元素周期表做一个演讲。

"我可以做一个这个主题的演讲吗？"伊拉把这个想法告诉了老师。

"当然可以啦，但是化学元素周期表的部分我们在课上已经讲过了。"老师笑着说，"不过我可以给你提供一个思路。我同时还带五年级的学生，他们还没有开始学化学。你可以为他们做一个演讲吗？"

伊拉欣然同意了。于是她开始钻研元素周期表的相关知识，整日伏案工作，努力让那群五年级的孩子们也能听懂她的演讲。

伊拉演讲的开场白是这样的："你

元素周期表

接下来我要讲什么呢？

知道门捷列夫和莱昂纳多·迪卡普里奥的经历多么相似吗？莱昂纳多曾多次获得奥斯卡提名，却总是与奥斯卡大奖失之交臂。门捷列夫曾三次获得诺贝尔奖提名，却从未获得过诺贝尔奖！"（不过，在伊拉演讲的第二年，莱昂纳多终于赢得了梦寐以求的小金人，但德米特里·门捷列夫却永远无缘诺贝尔奖了。）

接着，伊拉条分缕析地向五年级的小学生讲解了元素周期表。在演讲快要结束的时候，她还邀请大家一起猜一猜宇宙中哪种元素分布最广，最终选择氢气的孩子们获胜了。大家都开心极了，纷纷表示非常喜欢伊拉的演讲。除了获得了成就感，伊拉还找到了研究化学的乐趣，甚至在中学毕业后选择进入大学的化学系学习。

唉，他真是走运！

我终于获奖啦！

第6章

天啊，太可怕了！

本章讲什么？

好啦，现在你准备好了演讲要带的资料，组织好了开场白和结束语，考虑好了应该如何陈述演讲主题，也想好了在演讲的哪些节点可以向听众提问。你甚至已经买好了计时器，对着镜子提前练习过了。你已经完全准备好了做这场演讲，但在距离上场还有一分钟的时候，你突然开始害怕了。你心想："只要不用我上台，让我做什么都可以。"没关系，我们经常遇到这种情况。在本章中，我们将告诉你如何战胜临阵脱逃的想法。

噢不！求求灯坏掉吧，这样我就不用上台了……

讲台

到你啦！

我太害怕上台啦！

我曾经给一家连锁酒店的员工做过一次培训。休息期间，参加培训的员工和我一起去酒店餐厅吃晚饭。

"你们餐厅准备的饭菜真是色香味俱全啊！"我赞叹道。

"是的，为了让客人获得最佳体验，我们做了很多调整。"经理回应道，"我们甚至不让厨师当着客人的面做煎蛋和蛋卷了。"

接着他解释了其中的缘由。在国外的酒店，大家经常会看到一位厨师站在开放式厨房里准备早餐，当着客人的面煎鸡蛋、做煎饼、做蛋卷……当然，在俄罗斯的酒店也常常会见到这样的场景，但是通常情况下，站在开放式厨房里的厨师不是俄罗斯人，而是来自其他国家的人。

"我们请过很多俄罗斯厨师，但是他们普遍都很害羞。"经理无奈地说，"当着客人的面烹饪会让他们感到很紧张，担心自己做得不好吃。与此同时，他们的紧张感也会传递给客人。因此，我们不得不放弃明厨早餐的想法。"

看到了吗？厨艺精湛的厨师平时闭着眼睛都能做煎蛋，但当众烹饪的时候还是会犯怵。

所以，如果上台前你紧张得总想找个地洞钻进去，也不需要不好意思。有这种想法是正常的，大家都一样。

统计数据显示，
70% 的人都害怕上台表演

我才不要当着大家的面烹饪呢！

我可以不上台吗？

你当然可以选择不上台。除此之外可能你还对自己说过："我星期四绝对不出门""我永远不穿红衣服""我永远不会离开我住的城市！"但你想过吗，你的种种禁忌会把自己的人生限制住。

星期四不出门、不穿红衣服、不离开自己的城市，确实可以安安稳稳地过一辈子。但是这些限制会剥夺多少人生的乐趣啊！最重要的是，你应该扪心自问：这些限制是否真的有意义？它们能让你的生活变得更好吗？恐怕不能。

上台演讲也是一样的道理。你可能会害怕登台，想着永远不要走上讲台，痛苦地看着大好机会和自己擦肩而过。害怕不能解决任何问题。

你知道怎么做才能摆脱上台恐惧症吗？

摆脱恐惧症的第一步——上台演讲两次

是的，你没看错。为了摆脱恐惧，你需要直面恐惧，上台演讲两次。如果你勇敢迈出了这一步，剩下的就都好办了。

是的，是两次哟！

再给自己一次机会吧！

嗯……

为什么是两次呢？一次不行吗？

有一个名叫玛莎的女孩胆子很小。她自己很介意这一点，却又无可奈何，怎么都克服不了。有一次，玛莎和父母去酒店度假。酒店里有一个游泳池，旁边还有一个两米高的跳台。虽然只有两米，但对玛莎来说已经是不可逾越的障碍了。

"不行，我必须要克服我的恐惧！必须做到！"在入住酒店的第五天，玛莎终于下定了决心，为自己拼一把。

她爬上了高台，闭上眼睛纵身一跃跳进水中。她的恐惧在一瞬间烟消云散了，取而代之的是满心的喜悦。

"我做到啦！你们看见了吗？我竟然做到啦！"玛莎高兴地飞奔到父母身边。

"太棒啦，你真酷！"爸爸激动地抱住了她。

"再跳一次可以吗？"妈妈笑着说，"这次我们给你录像吧，你再勇敢地跳一次。"

我做到啦！

再跳一次可以吗？

你真棒！

玛莎突然发现，第二次跳水比第一次更可怕。因为无论是跳水还是上台演讲，第一次做的时候我们都会投入全部的勇气，放手一搏。就像刚刚打破了世界纪录的运动员，第二次尝试就意味着让他再打破一次世界纪录，这太难做到了。打破一次世界纪录已经耗尽了他所有的心力。

公开演讲也是一样的道理。为了真正赶走恐惧，应该至少进行两次演讲。至于是否做同一主题的演讲倒是不重要，重要的是两次演讲相隔的时间应尽可能短。如果你能做到这点就太棒啦！完成了这一步就算成功了一半。

咱们说回玛莎。玛莎完成了第二次跳水后，又紧接着开始了她的第三跳。假期快结束的时候，她已经爱上了跳水，不是为了克服恐惧，而是为了收获快乐。

当然，克服恐惧并不容易。但是我们可以告诉你，做些什么能让前两次的演讲尽可能顺利一些。

技巧一：精心准备

如果这是你的第一次演讲，那么你需要特别注意一下。一个人坐在家里对着猫咪和墙上的海报练习演讲是很难模拟出真正演讲时的场景的。上台之后你需要大声向听众介绍自己的演讲内容，而不是索然无味地说两句："首先，我会告诉你们伊凡四世被称为'恐怖的伊凡'的原因，然后讲一下削藩制的起源，最后介绍一下俄罗斯大贵族地主的历史。"这样的讲法没人会爱听。

或许你可以这样说："提到'格罗兹尼[1]'这个词你会联想到什么呢？通常大家会给出两种答案——格罗兹尼市或者'恐怖的伊凡'。今天我要给大家介绍的就是'恐怖的伊凡'，又名伊凡雷帝，一位在很大程度上影响了俄罗斯历史进程的沙皇。"

听众可能不了解历史细节，但经你这么一说，也许突然就有了兴趣。你还可以找人帮忙扮演伊凡雷帝，你一边介绍，另一个人一边表演，这种形式也很容易被大家接受。

你如果愿意的话，可以在奶奶、妈妈、爸爸、姐姐、弟弟的面前演讲，邀请他们一起参与表演。

在家排练得越熟练，
真正演讲的时候就越从容。

——————————
[1] 格罗兹尼：是恐怖的意思，也是俄罗斯一个城市的名称。

陛下……

是谁在叫朕？

技巧二：紧张未必是坏事

我们可没有骗你，这是真的。紧张又害怕的情绪不仅不是你的敌人，还有可能变成你的盟友。通常情况下，毫不紧张的人反而表现得最差。他们上台后可能表现得太过松弛，眼神游离，言语中也没有能量。你知道吗，毫无激情的演讲只有一种效果——让听众的热情迅速冷却。所以，紧张对于一个演讲者来说是相当不错的"燃料"！当然啦，还要配合着勇气一起发挥作用。

每次我们在讲课时谈到紧张感也可以带给演讲者种种好处时，大家都会一脸怀疑地看着我们，想知道这背后究竟藏着什么玄机。你的任务是给大家演讲，这是一项非常耗费脑力的劳动。你需要一边输出信息一边吸引听众的注意力。除了听你的演讲，听众的头脑中可能还充斥着各种各样的会让他们分神的想法，所以在演讲过程中，你需要像握住一束鲜花一样牢牢抓住他们的注意力。

这项任务很困难，因此大脑会使出浑身解数刺激体内产生肾上腺素。但是肾上腺素的分泌量很难控制，分泌过多的时候你感受到的就不是勇气而是紧张了。不过，这个问题完全可以通过训练来解决：练习的次数越多，大脑就越容易掌控激素的分泌量。对于那些毫不紧张的人来说，这个调整适应的过程要困难得多。根据我们的经验，这类人所需的训练时间也会更长。总之，经过一定的训练，你就可以将紧张转化为勇气，也就是说，最初的紧张感可以助力你圆梦讲台！

大脑接收到信号会不自觉地产生紧张感。紧张过后又是什么呢？

已经上台站定了。大家都在看我，我要做些什么呢？！啊啊啊啊，我还没准备好啊！

技巧三：上台前多做几次深呼吸

你可以试试4-8式呼吸法：用鼻子吸气4秒，吐气8秒。注意不要做太久，否则你会睡着的，因为一般这个呼吸法是推荐给失眠的人使用的。这个方法会帮助你缓解手脚发抖的状况。在此过程中，大脑缓慢地接收到大量氧气，开始将自己置于"睡眠模式"，肾上腺素的释放自然也会逐渐放缓。

呼吸法对身体有益，对于缓解演讲焦虑更是大有裨益。

技巧四：说个绕口令热身

这个方法并不是每次都很管用，但是如果在演讲之前有机会练绕口令的话，那么不妨试一试。你知道吗，就算是对比赛胜券在握的运动员也必须在比赛之前认真热身，不然，想拿冠军还是有点悬的！如果你在健身房锻炼过，那么你应该很清楚，至少要做10分钟的拉伸之后才能开始锻炼。

演讲也是一样的。为了防止上台之后口干舌燥，上下牙齿打架，说话不利索，可以先用绕口令练练舌头。大声念几遍"吃葡萄不吐葡萄皮""刘奶奶喝牛奶……"或者其他更复杂、更有意思的绕口令，比如"八百标兵奔北坡……"。当然啦，你也可以试试一些新式绕口令，比如下面这个：

严圆眼和杨眼圆

山前有个严圆眼，
山后有个杨眼圆，
二人山前山后来比眼，
不知严圆眼比杨眼圆的眼圆，
还是杨眼圆比严圆眼的眼圆。

上网再找点更有意思的绕口令吧，难度越大对你越有帮助。

你觉得我用松柏枝做的护膝如何？

真不错！

松柏枝

技巧五：想一想，上次遇到难题你是怎么解决的？

棘手的问题每个人都遇到过。跟其他难题比起来，演讲其实不算难。坦白地讲，这就是一个挺日常的活动，并不需要你舍生忘死地做一些危险的事情，所以你无须害怕。你之所以觉得很难，是因为还没有完全掌握演讲的技巧。在上台之前你可以回想一下自己人生中经历过的高光时刻，过往的成就感可以冲淡你的焦虑情绪。你这么强大，有什么可担心的呢？

出问题了怎么办呢？

尽管尤拉掌握了很多演讲技巧，也提前做了很多练习，但还是非常紧张。他走上舞台，膝盖都在发抖，演讲稿也被汗水浸透了。站定之后，他看着大厅里的听众，突然说道："你们知道吗，我现在非常紧张，把开场白都忘记了。我可以直接进入正题吗？"

尤拉的声音瞬间被一阵掌声彻底淹没了。他看到大家向他投来友善、理解和同情的目光，为他加油打气。

有人大喊："那就开始吧！"

还有人说："来吧，你肯定可以的！"

于是尤拉开始了自己的演讲。此次演讲结束后，评审团会根据大家的表现选出获胜者，并推荐其参加全国性的大赛。令尤拉意想不到的是，他竟然以第一名获得了这项资格。

你别晃了！我自己都抖得不行了！

当然了，获奖与尤拉赛前充分的准备分不开，这是一个很重要的因素。此外，评委老师们还在尤拉身上看到了他真诚和真实的一面，这也是很宝贵的品质。尤拉诚实地向大家表露自己紧张的状态，这在无意间成了加分项。是的，你没有听错，是加分，不是减分！

如果你觉得无论如何都无法平息紧张情绪，那就不要刻意隐藏它，直接表露出来吧。善良的听众此刻一定会声援你的，而这份支持不正是每个演讲者梦寐以求的吗？

讲得不错呀！

真是没想到！

尤拉，你太棒啦！

自己做！

在全班同学、全校同学甚至全国人民面前做一个演讲。如果你真的很害差，那就先从亲朋好友生日会上的祝酒词开始练起，逼着自己当众讲话！相信你之后会爱上这种感觉的！

把自己焦虑的地方写下来，然后逐一克服！

你一定可以的！

别忘了做个深呼吸！

我相信你！

道理我都明白了，然后要做什么呢？

不能做	可以做
• 因为要面对听众很紧张就抗拒演讲。	• 直接说："是的，我很紧张，但这可以帮助我更好地演讲"。
• 在听众面前努力掩饰自己的紧张。	• 在演讲开始时，真诚地对听众说："我很紧张，一会儿可能会忘词，但我会努力做好的。"
• 还没准备好就上台。	• 演讲前在家认真排练。

哇！真棒！

再往左边来一点。

举个例子

叶万格利纳觉得自己患上了社交恐惧症。她很不善于交际，在公共场合常常感到浑身不自在。应该笑还是应该保持安静？该发表自己的看法吗？有不同意见要争辩一下吗？这些她都拿不准。

叶万格利纳确信讲台根本不属于自己这样的人。直到有一天，地理老师让她准备一个关于南美洲的演讲，并在学校举办的学科大会上发言。

在叶万格利纳的印象中，南美洲是一个遥远而神秘的大洲，她之前对那里所知甚少，但不知怎么的她竟然答应了。她花了很长时间准备演讲，检查好了每张幻灯片，精心设计了开场白和结束语……但临登台前，她慌了，甚至想跑到厕所里一直躲到会议结束，事后

对老师谎称自己拉肚子。地理老师似乎注意到了她的异样，温柔地安慰了她几句，然后拉着她走上了讲台。

最初的两分钟里，叶万格利纳不知所措。然后她突然意识到，自己才是掌控全场的主角啊！会议的重头戏在台上而不是台下。她不需要痛苦地猜测如何与人相处，相反，听众需要适应她，倾听她，理解她，为她鼓掌。

原来讲台是如此自由的地方，叶万格利纳对演讲的恐惧顿时烟消云散了，取而代之的是取之不尽的勇气。叶万格利纳的同学们都惊呆了：哇，生活中的她有点孤僻和古怪，没想到站在讲台上的她是如此闪闪发光！

哇！叶万格利纳真是魅力四射！

太棒啦！

93

第7章
我要穿什么呢？

本章讲什么？

你平常的穿衣风格是什么样的呢？休闲的还是时尚的？早上穿什么会显得干净清爽一点？我们在这里就不给大家提供日常穿搭建议了，我们相信在这方面你完全没问题。但是，如果要登台演讲的话，你是否了解其中的一些服饰要求呢？

如果你的回答是肯定的，那么恭喜你，本章的内容你可以直接跳过了。当然了，你也可以再浏览一遍，看看我们讲的和你自己原本想的是否一致。如果你不太了解具体的着装要求，我们建议

你仔细阅读一下。毕竟"人靠衣装马靠鞍"，演讲时的着装也是个人形象的一部分。整个演讲的过程中，全场观众的目光都会聚焦在你身上，你打算以什么形象出现在大家面前，决定权在你自己的手中。

也许你会想，人们边看幻灯片边听我讲话，衣服有那么重要吗？

话是这么说，但是人们无法选择性地只看想看的，只听想听的。因此，他们只能被动地接受一切：幻灯片、演讲者甚至窗外的猫。而且，如果幻灯片很无聊的话，观众要么只盯着演讲者看，要么就会被窗外的猫分神。

猫的确是非常强大的"干扰者"。你还记得第3章中介绍的要怎么做才能防止这类不速之客破坏你的演讲吗？

下面我们讲一下如何挑选合适的衣服。请记住这句话：

我们的着装就是向观众释放的信号。

根据这句话我们能立刻得出一个结论：演讲时的着装要和日常生活中的略有不同。毕竟，演讲是一项面向公众的活动，讲台上展示的也不是普通生活。面对这样一项活动，有人如鱼得水，轻松应对，有人则需要使出洪荒之力才有勇气站上去，不管你属于哪一类人，都要认真对待着装问题。

当然啦，你也要注意一下，这毕竟不是奥斯卡颁奖典礼，没必要穿黑色燕尾服或是露背礼服。不过我们可以传授给你一些穿衣小心机，比如如何巧妙地佩戴配饰，让你成为全场关注的焦点。

嚯！

你戴的这是什么啊？

这是领结，可以助我一臂之力。

应该怎样着装呢?

1. 领带——如果你在日常生活中不系领带的话,演讲的时候可以系领带。

2. 领结——如果你在日常生活中不戴领结的话,演讲的时候可以戴领结。

3. 一枚出众的胸针或徽章——如果在日常生活中你也佩戴这些的话,那么在演讲的时候也可以试一下。

4. 印有与演讲主题相关的图片或文字的 T 恤或运动衫。

5. 大红色连衣裙(或大红色衬衫)——如果你平时穿衣是浅色系的话,演讲的时候可以换个风格。

6. 不管你平时穿搭是何种风格,在讲台上你必须要焕然一新才能惊艳全场。

有一次,12岁的波琳娜做了一场关于马的演讲。当时她穿着一件绣有马脸的运动衫,马的面部表情十分灵动,赚足了全场观众的眼球。波琳娜的演讲大获成功也部分归功于这件衣服。

一家大型报社的领导组织了一次社交媒体营销的培训,他们为参加培训的员工定制了文化衫——印有"社交媒体营销"字样的白色 T 恤。这件衣服也为培训活动增色不少。

阿利萨一直很重视演讲的着装问题。有一次她做了一个关于礼仪风尚的演讲，在演讲的一开始她说："我戴了一件违反着装规定的配饰，我看看等到演讲结束的时候，你们中间谁可以发现这个问题。"

演讲持续了整整10分钟，每位观众都非常专心地听讲，试图从中找出一些蛛丝马迹，成为第一个猜出问题所在的人。当演讲进入尾声的时候，阿利萨微笑着说："现在你们猜到答案了吗？"

有人说："你运动鞋的颜色和牛仔裤的腰带颜色不匹配。"还有人猜测："你的手帕没有从胸前口袋里掏出来（其实阿利萨的衣服根本没有胸前口袋）。"大家的答案五花八门，但是都没有说到点子上。

答案很简单：阿利萨头上戴的墨镜（不是戴在脸上，而是戴在头上）违反了演讲的着装要求。大家对于这个答案大吃一惊，戴墨镜的听众也觉得有点不好意思。其实在日常生活中，对于佩戴墨镜的场所和戴墨镜的部位都没有严格规范，这些纯粹是个人喜好的问题。但是阿利萨巧妙地利用这个演讲的着装要求牢牢吸引住了观众的注意力。

我穿的哪一点不符合着装要求？

帆布鞋有问题吗？

没带手帕？

衬衫和袜子不搭？

头发放下来了？

牛仔裤不对？

97

应该穿得特别亮眼吗？

这里有一个非常微妙的差别。一方面，你在演讲时的着装应该与平时穿的衣着有所区别。但另一方面，也不能相差太大。这样说你明白了吗？当然了，如果你想在寒冬腊月穿着短裤上台我们也不能拦着你。

类似的情况的确发生过一次。一个莫斯科的团队去往一个小城市参加会议，他们需要做一个演讲。会议主题似乎是关于设备销售或者时间管理的，总之是一个并不轻松的主题。当时还没入冬，但是天气早已转凉，室外温度大约15度，屋里也并没有暖和多少。令人没想到的是，会议主持人穿着T恤和短裤就上台了。

你应该能想象到听众们有多么震惊！在一个严肃认真的会议上，穿着短裤的主持人带给人的冲击力不亚于学校里留着时髦辫子的男校长。这件事颠覆了人们的固有认知。但是不得不说，全场听众确实表现得很认真，目不转睛地盯着主持人。此外，大家还纷纷给他拍照、录像，把照片和视频发到网络上。

整整三天，小城里的人都在讨论这件事。"会议主持人穿短裤上台合适吗？""主持人这样做是不是对听众不尊重？"当天的演讲内容却没有引发什么讨论，估计早就被大家抛到脑后了。从最后的结果来看，主持人的短裤把演讲的风头全都抢了。这样的打扮也许在莫斯科不会引起轰动，但是在一个不那么开放的小城市里，人们还是不太容易接受的。

> 莫斯科的听众或许能接受穿短裤的演讲者，可对小城市的人们来说，这就有点太过了。

哇！穿着短裤——有点意思！

你知道专业人士是如何把握穿衣尺度的吗？如何让着装有亮点而不突兀？他们会选择剪裁得体但颜色出挑或印花独特的衣服。例如，选择一件薄荷绿修身熨帖的商务礼服。观众席中肯定有人身着白色、黑色、灰色、蓝色、红色，甚至绿色的服装，但是大概率不会出现另一个穿着亮薄荷绿色衣服的人。

或者穿一件干练的夹克，里面配一件带有抽象印花的T恤，如果仔细观察就会发现，T恤的印花是一只花纹美丽的甲壳虫。甲壳虫的颜色与夹克搭配和谐。如果演讲主题不走寻常路，甲壳虫T恤就非常适合了。

每年的11月到次年3月期间有一个特别有效的穿衣技巧：全身的衣服中至少要有一个元素是暖色调的。在有着寒冷冬天的地方，人们入冬之后普遍体感偏凉，所以会条件反射地感觉身穿暖色调的人会更有亲和力，更亲切。到了炎热的夏天，你就可以尝试一些冷色调的衣服了。

嗨~

这件就很不错！

如果我每天都穿得特立独行呢？

我们再看一个例子。也许你知道俄罗斯政治家弗拉基米尔·日里诺夫斯基。如果不知道的话，请你自行上网搜索一下。一方面，作为一名政治家，他要保持自己严肃持重的一面；但另一方面，他的着装风格又常常是明亮出挑的。彩色夹克、亮色领带和领结、有设计感的衬衫——这就是属于他个人的穿衣风格。他的讲话风格同样独一无二：洪亮、清晰、笃定、斩钉截铁。简而言之，他的着装风格与他的说话风格可以完美地融合在一起。也就是说，日里诺夫斯基的卓尔不群是从内到外的。

所以穿衣搭配的度十分重要，搭配得好就是锦上添花，过头了就像主持人穿的短裤一样，喧宾夺主。毕竟，你还是希望人们记住你的演讲内容，而不是你当时穿了什么衣服。

你打算惊艳四座吗？你想让你的演讲令人印象深刻吗？
那你可要精心打扮一下啦！

谁敢说我不风雅，我就啐他！

能穿自己的幸运衫吗？
这样的话我会感到自信一点

如果你非常非常紧张，好吧，那就穿上吧。当然啦，希望你的幸运衫是一件得体的衬衣，而不是一件冬衣，毕竟穿着羽绒服上台可不是一个好主意。但是原本就很紧张的人可能会把所有的希望都寄托在他的幸运衫上，就怕慌乱中穿错了衣服或是没法穿幸运衫，让本来就糟糕的心情雪上加霜。

但是你终有一天会遇到这种情况的！比如，幸运衫恰好被扔到洗衣机里洗了；或者你在乡村营地里，而衣服落在家里了；或者是你长了个子，衣服已经装不下你了；还有可能衣服被蹭脏了、刮坏了等等。总之，你必须让自己摆脱对幸运衫的心理依赖，让自己习惯不穿幸运衫上台！如果你必须拥有某种护身符的话，那就让它尽可能便携一点。事实上，对于演讲者来说，唯一真正有效的护身符就是你的大脑。而且，幸运的是，大脑肯定时刻陪伴着你。

护身符 我就是你的

为了这个演讲，我都全副武装好了！

你的护身符是不是有点太多了？

那我是干吗的呢？

101

有什么服装是演讲时要避开的吗？

当你穿上新毛衣时，你能保证领标不会刮脖子吗？或者你穿了一条新裙子，你能肯定它不会起静电贴在腿上吗？那双新买的运动鞋真的不会将你的脚磨出几个水泡吗？没准到时候你不得不痛苦地站在讲台上，头脑一片空白，只想把脚上的运动鞋扔出窗外。

我们也不想老生常谈地说高跟鞋了，穿高跟鞋演讲时的意外情况实在是太多了。有一次，一个16岁的女孩正在会议上做着演讲，突然就从高高的讲台上摔了下来。幸运的是，她逃过一劫，没有生命危险，只是身上有多处擦伤，膝盖淤青，连裤袜也撕裂了。就因为这场意外，这个女孩在那个秋天再也无法继续演讲了，原本有望冲击的奖项最后也花落别家了。罪魁祸首就是她的细跟高跟鞋！

很狡猾！

我很扎！

演讲的服饰应该满足三大要求：
宽松舒适、符合时令、贴合演讲主题。

别伤心，下次改正就可以了。

要是穿一双帆布鞋就好了。

你一定可以的！

别人的身材很好，可是我的……

我们经常听到这句抱怨。但是在"可是我的……"之后人们说的那些都算不上缺点，无非就是肚子圆，胳膊粗，腿有点弯，个头矮罢了，我们甚至还碰到过一个年轻人抱怨他的胳膊肘长得不对称。我们仔仔细细地对比了一下他的两只胳膊肘，老实说，真的没看出有什么不一样。所以，无论你觉得自己有什么缺点，请记住一个原则：任何情况下都不必强求完美，只需强调自己的优势。

照照镜子，仔细端详一下自己，然后客观地告诉我们：你身体的哪些地方令人赏心悦目呢？认真地想一想，不可能没有吧。你是不是有一头浓密的头发？如果是这样的话，那就不要把它扎成一个小圆发髻。你的肱二头肌是不是很发达？那就穿一件稍微紧身的上衣或套头衫，把肌肉秀出来。有一双细腿？那就不要害羞地把它们藏在阔腿裤里面啦。

当你勇敢地展露最喜欢的身体部位时，那些对你不太满意的部位的关注就不算什么了。请你自信满满地上台吧！

注意：着装也是你演讲的一部分，幻灯片、教具和视频也是。请精心准备，它们都是你成功的保障。

我走到哪儿都是最美的！

科特，你的脸都贴到镜子上了！

又在自恋了……

出问题了怎么办呢？

季马买了一双新鞋，因为怕弄脏，他只在家里试穿过一次，走得也不多，感觉一切都好极了。但是在上学的路上，他走了还不到15分钟就意识到自己犯了一个大错误：运动鞋不停地磨着他的脚后跟。他到了学校要上一整天的课，下课后还要在大礼堂里做关于某项目的演讲。

季马为了这个项目忙了一个月，也为这次的汇报演讲做好了充分准备。他非常清楚自己必须亲自走上舞台做演讲才对得起这么长时间的努力，但同时他又觉得自己的脚太疼了，一步也走不动了。上课的时候，季马实在疼得厉害，只好脱掉了鞋子，把它们暂时放在桌子底下。一整天里，只有数学老师注意到他没穿鞋（庆幸的是，季马的袜子很干净），她惊讶地问："季马，你这是在干什么？"

季马只好老老实实地回答："我的脚被磨得太疼了。"老师理解地点点头，递给季马一块膏药（事实证明，这块膏药真的派上了大用场）。

"米汗，你穿多大的鞋？也是四十号半吗？"季马拍了拍好朋友的肩膀问道，"我演讲的时候你能把运动鞋借给我吗？帮帮我吧！"

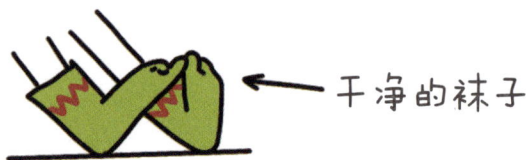

← 干净的袜子

米汗爽快地把运动鞋借给了季马，鞋有点大了，但对于季马可怜的脚来说，大一点的鞋更舒服。多亏好朋友鼎力相助，总的来说，整场演讲季马表现得不错，项目也成功地被推荐到市里了。然而，回家之路可谓道阻且长，季马再也不想穿这双运动鞋了。经过这件事，季马记住了一点：如果最近有重要的事情，千万不要穿未经试穿的衣服和鞋子。

穿我的吧！

谢谢！

自己做！

翻翻衣柜搭配出两套演讲用的服装。第一套用于在同学面前发表一个有意思、有创意的演讲，第二套用于有评委出席的科学会议上发表的正式演讲。

请画出你的演讲服装。

Ⅰ 第一套

Ⅱ 第二套

道理我都明白了，然后要做什么呢？

不能做	可以做
● 和平常穿的一模一样。	● 给衣服加一些配饰：领带、胸针、带印花的 T 恤……
● 穿没有试穿过的衣服或鞋。	● 穿干净、平整、有设计感的衣服。
● 穿得过于夸张。	● 尽可能让你的衣服和演讲主题相呼应。

帮我一下！

这个破毛线球把我缠住了。现在过不去了，没法帮你。

举个例子

在2000年左右，EMO 情绪摇滚[①]风头无两。年轻人把头发染得乌黑，留着长长的刘海，把眼睛周围也涂得黑黑的。他们整日哀叹生命的脆弱和命运的无常，这成了当时的一种风尚。

当时的 EMO 少年伊戈尔要做一个关于生物学的演讲，主题是分析人类的情感，具体包括情感如何产生以及人类情感与动物的情感有何不同。

伊戈尔明白，他的个人风格不能轻易改变。于是，他身穿黑衣走上讲台，开始谈论悲伤，但当他讲到喜悦时，他的外表略有变化——他脱掉了黑色围巾，戴上了一条白色围巾，脱下了黑色夹克，露出了里面的粉红色衬衫，之后还在黑发上戴上了一顶彩色的帽子……在演讲结束时，他看起来像一棵花里胡哨的圣诞树。

"这就是一个人经历所有情绪变化的过程。"伊戈尔总结道，"我们每个人都有很多不同的情绪，从失落到喜悦，从最黑的到最白的，而它们之间是彩虹色的光谱。"

多年来，伊戈尔在学校的这场演讲一直被人们津津乐道。在毕业典礼上，校长还亲自表扬了伊戈尔，称他的演讲值得所有人学习。

就像这样

悲伤　　　　　　　　　　　　喜悦

① EMO 情绪摇滚：又名为情绪硬核，是硬核朋克音乐的子类别，起源于20世纪80年代的华盛顿。

第8章 如何正确发言?

本章讲什么?

演讲中最重要的是什么?提前做好准备,选择合适的措辞,制作精致的幻灯片,构思出完美的开场白和结束语。这就够了吗?当然不是。了解如何将信息传递给听众也很重要,接下来让我们来谈谈这一点。

如何呈现信息是什么意思?信息的呈现包括两种:语言的表达和幻灯片的展示。不知你在学校上课的时候是否听老师说过这句话:"你们先把公式写下来,然后我给你们解释一下。"如果没有的话,那我们就从现在开始吧。本章会从一个演讲的公式开始,赶紧记下来吧。

公式在哪儿呢?

成功的演讲 = 50% 的演讲内容 + 50% 的演讲方式

顺便说一下,我们前面讲到的着装在演讲方式中占有举足轻重的地位。此外,演讲的语调、停顿和你在讲台上的动作也很重要。现在我们给你举一个演讲的例子,这样你就会明白其中的原因了。

记住这个公式.

"我什么都不会讲，没有任何有趣的事情。"

想必你知道 TED 演讲吧。站在 TED 讲台上演讲的原本都是普通人，根本不是专业人士，但是他们每个人都可以把自己的话题讲得非常生动有趣，现场听众都听得入迷极了。当然，在真正上台之前，演讲培训师也会帮助他们做一些准备。有一次，一位培训师亲自上台了。

这个年轻培训师名叫威尔·斯蒂芬（Will Stephen）。他演讲的题目是《怎样让你的 TED 演讲显得很聪明》（*How to Come Off as Smart in a TEDx Talk*）。如果你还没有看过这个五分钟的演讲视频，一定要看看。我们强烈建议你将此视频保存到收藏夹中，反复学习。这个视频可谓是演讲圣经了。

点开之后你就会看到，一个戴着眼镜，穿着土黄色休闲裤的年轻帅哥站在讲台上说："我什么都不会讲，没有任何有趣的事情，没有任何高光时刻，也没有难忘的经历。但我可以向你保证，你一定会听完我的演讲。"

你觉得为什么这句话会吸引听众呢？

我什么都不会讲，没有任何有趣的事情。

109

没错，这句话太反常了，所以引起了大家的注意。听众哪里遇到过演讲者自己说"我什么都不会讲"这种情况啊？而且威尔并没有就此罢休，之后他居然敢挑战听众："我什么都不说，反正你们还是会听到最后的。"赤裸裸的挑衅！这几句话会把听众的注意力牢牢地吸引在威尔身上。

接下来威尔的演讲就正式开始了，他的预言也应验了。他一上来就问听众："被别人提问过的人请举手。"然后他也没有问任何问题。接着他在屏幕上展示了一张戴着眼镜、看起来很聪明的人的照片，并说道："这个人可能真的很聪明，他做出了一些伟大

的贡献。但我不知道他是谁。这张照片是我在网上搜索出来的，我当时输入的关键词是'科学家'。"然后威尔展示了一张图表，图表显示的数字有大有小。之后他打开一张带有数字的幻灯片说："这些就是普通的数字！我随便写的。"然后他再次输入"幸福""成功""和谐"等关键词，随机挑选出一些图片。

你已经搜索过这个视频了是吗？威尔摘下自己的眼镜，说道："其实，我的视力很好，戴上眼镜只是为了显得聪明"，并且还用手指穿过镜框，表明里面没有镜片。看到这里你是不是也笑了呢？

科学家 →

我的视力 1.5，好得很！

原来是这么讲的！

他是如何做到的呢？为什么大家听他讲话会想笑呢？

现在让我们一起研究一下。你注意到他的穿着了吗？他的衣着似乎并不夸张，也就是简简单单的土黄色裤子和藏蓝色衬衫。但是这个搭配却大有玄机，一方面，这两件衣服的组合并不常见，另一方面，这样撞色搭配起来也很赏心悦目。也就是说，他演讲的着装满足了"穿得和日常生活有点不同"的条件（我们平常穿的大多是牛仔裤）。

接下来我们继续分析一下威尔讲话的方式。他的语速不紧不慢，要么是先问听众一个问题，等待听众做出反应，要么是问自己一个问题，让听众思考一会儿，然后再给出自己的答案。通常，问完一个问题，间隔一会儿后再回答是一种很棒的演讲技巧。这表明演讲者对自己和听众都很有信心，并且他可以自主掌控演讲的进程。

下一步让我们分析一下威尔的动作。演讲中，他不断变换手势，面部表情也非常丰富。你认为这些只适合幽默表演吗？当然不是了！公司高管和政府官员发表那些严肃的演讲时也会适当使用这个技巧。总之，站在讲台上的人必须是生动有趣、活灵活现的。一个鲜活的演讲者无论是施展动作还是表达情绪都必须具有感染力。当然了，语速语调也要注意。听一听威尔改变了多少次语速语调！他时而柔声细语，时而侃侃而谈；时而轻松愉快，时而严肃认真；时而语气低沉，时而高谈阔论。

当有人问哪种语调最适合演讲时，我们会跟他说："不断变换语调。"任何一种语调都不能使用太久，否则演讲会很单调无聊！

诺奇卡，你戴的是什么啊？

我想要自己看上去更聪明！

太复杂了，我可能永远都做不到！

在录制演讲视频前你需要一个三脚架，如果没有的话，拿一个坚固的东西固定住手机就行，那我们现在就开始吧。

> 放下书，打开手机，开始录制你的第一支演讲视频。

万事开头难。最难的就是点开录制视频后观察镜头里的自己，从头到脚仔仔细细地打量一番，也许你自己都不想看下去了。没关系，别害羞，这个视频就是你演讲的起点。再放一遍视频，现在重点关注一下自己的动作，先不要管语速语调问题。

你喜欢你的哪个动作？用什么手势比较轻松随意？什么样的面部表情会比较有感染力？记录下来！这些手势和面部表情可以使你的演讲锦上添花。如果你注意到一些让你非常反感的手势，想想可以怎样替换掉它们。对于视频中那些你不太喜欢的地方，也可以选择性地忽略，切不可钻牛角尖。你想想，如果一个人带着"我上台之后千万不要掏耳朵！"这样的想法上台，他在演出的前几分钟会做什么呢？他肯定会不由自主地掏耳朵，还有可能是两边都掏！自我暗示太可怕了。

我不仅掏耳朵还啃指甲，这可怎么办啊？

别在意！放轻松！

我好像明白了，应该多看几遍录像，然后加以改进

对的。下一步你需要注意自己的语调，听一下哪种音调最适合你，不同音调需要哪些过渡，然后再听一下，问完问题后和重要论点陈述完毕后分别留有多长的停顿比较合适。展示幻灯片的时间又要预留多久。

看，每次演讲排练完都会有新的收获。
日积月累，你的表现会越来越好。

113

在讲台上走动也很重要是吗？
还是说我坐着比较好？

公开演讲中并没有明令禁止坐着演讲。但是相信我，站着演讲可以随时在讲台上移动，这对演讲者和观众来说都会更方便。为什么演讲者站着对于观众来说会更方便呢？想必你已经知道了这一点：移动的物体比静止的物体更具有吸引力。但是为什么对于演讲者来说也更方便呢？因为你需要看着观众。如果你习惯看着讲桌、天花板、地板或者其他物体做演讲，我们建议你改掉这个习惯。当一个演讲者与观众失去眼神交流时，那就意味着他很快就会失去观众。

吃坚果

想一想，你在演讲时眼睛会看向哪里呢？

毕竟观众需要被关注。

一些演讲者会在观众中选择一个特定的目标，然后在演讲时全程盯着这个人看。你想想这个观众会有什么感觉？尴尬。而且，这种尴尬可能会让她胡思乱想，"他爱上我了吗？"或是"我脸

为什么他这样看着我？

为什么呢？

你怎么啦？

?!

我的头发有什么问题吗？

是不是我的脸上有墨水呢？

天啊，这到底是怎么回事？

还是说他喜欢我？

上有什么不对劲的吗？睫毛膏涂了吗？我化妆只化了一只眼睛？"作为演讲者，不应该让观众产生这样的误解。此外，当演讲者只盯着一个观众看时，其他观众会觉得自己有点多余，并迅速丧失对演讲内容的兴趣。因此，你需要先看一位观众，过一会儿再看看另一位。一会儿扫视全场，一会儿再把目光放在其中两三个观众身上。你必须经常改变视线的焦点，平均两秒改变一次。

对于新手演讲者来说，以上所讲的与观众进行眼神交流是相当困难的，但这可以通过在讲台上进行位置移动来弥补。当你从讲台的一端走到另一端时，你不可能只盯着观众，肯定还会低头看路。这意味着你完全有机会中断与某位观众的目光接触，短暂地休息一下，然后看看其他观众。

好了，现在进行到第二部分了。

别忘了在讲台上走动一下！别再盯着塔妮娅看了！看一下萨妮娅吧！然后，该看看伊琳娜了……

如何说话才会显得语调很优美？

要点是不紧不慢，发音清晰，要比平常更清晰才行。试着听一下收音机里主持人的声音，他们私下与朋友聊天时肯定不会像电台直播时发音那么清楚。如果你听四五十年前的新闻广播中播音员的声音，你肯定会感到惊讶，他们的发音都太清晰了，甚至每个轻声都非常明显。不过，这也和当年的条件有关系，当时的录音设备和播放设备还没有达到现在的技术高度，播音员发音吐字不清会直接影响广播效果。

这种发音习惯放到现在也是适用的。演讲者吐字清晰可以让听众理解得更加轻松。

如果女孩平时的音调较高，那么演讲发声时压低音调会更悦耳。相较于女孩又尖又细的声音，人的耳朵更容易接受男低音。

正确的呼吸方式也很重要：鼻子吸气，使劲鼓肚子，在呼气时说话。这种呼吸方式不会对声带施加过多的压力，演讲的时候你就不会发出吱吱声（当通过声带的空气不足时这种情况才会发生）。

让我们再提醒你一下：不要忘记变换语调。如果把演讲比作一曲乐章的话，语调就像一个个的音符。如果一首歌都是用同一个音符谱成的话是非常烦人的。如果听众在认真听你说的每一个字，那么你可以试着压低音量一段时间，这时你会感觉到听众也开始侧耳倾听，以免错过任何内容。

你感觉到了吗？现在你可以重新调高音量继续演讲了，听众已完全属于你了。

嘎吱嘎吱

喵呜

出问题了怎么办呢？

米兰娜非常有信心，认为自己为演讲做好了万全的准备。演讲是围绕她最喜欢的一本书《大师和玛格丽特》（苏联作家米哈伊尔·布尔加科夫的著名魔幻现实主义小说）展开的，听众是与她同一年级的同学。一般来说，这样的演讲应该不会出什么岔子。可是在谈到玛格丽特时，她突然觉得自己脸红了，嘴也不听使唤了。

当米兰娜第一次读到这本小说时，她感到大为震撼。此时此刻，她站在讲台上，突然觉得自己就是玛格丽特，生怕现场有人看穿了她。她感到自己被一种难以名状的羞耻感包裹着。

米兰娜耳边传来阵阵窃窃私语：大家都不明白米兰娜绯红的脸颊因何而起。她意识到自己必须说几句话解释一下，打破现在的尴尬局面。于是米兰娜强压着内心的起伏，竭力用平静的语气说："请大家听我说，现在我怎么都讲不下去了。我总是对《大师和玛格丽特》这本书有太多的情感。即使现在我并没有真正在读这本书，只是简单地谈论一下，我也无法抑制内心的这种情感。你们有过这样的经历吗？"

"我有过！"，她的朋友卓娅喊道，像是在声援米兰娜，"我每次读一首关于小狗的诗的时候也会这样。"

"我小时候每次读《纳尼亚传奇》也有这种感觉。"另一位同学回答道。

同学们纷纷开始回忆他们最喜欢的作品，米兰娜终于松了一口气，平复了心情之后，继续进行演讲。

我现在没法抑制内心的情感，你们有过类似的经历吗？

我有过！我每次读一首关于小狗的诗的时候也会这样。

我读《爱丽丝梦游仙境》时就有这样的感觉。

我小时候每次读《纳尼亚传奇》也有这种感觉。

自己做！

从头到尾再录制一次演讲视频。这一次要像真正演讲时那样声情并茂，注意语调变换、面部表情管理和适当停顿。

道理我都明白了，然后要做什么呢？

不能做	可以做
演讲的时候呆立不动。	在讲台上多走动，偶尔停在讲桌或者白板旁边。
与听众缺乏眼神交流。	直视听众，不时变换眼神聚焦的对象。
一直用同一个语调讲话。	变换语气语调，时而高亢时而低沉，注意抑扬顿挫。

再来几个钉子！

霍马！要铺平整！

举个例子

谢尔盖不喜欢公开演讲，他更喜欢在网上与朋友交流。但是这次的物理考试要以演讲的形式进行，这回可没法逃避了。

谢尔盖很快就把演讲词写好了，但练习演讲却花了很长时间。他对着镜子排练，用手机录制视频，练习了很多遍，却有一个地方怎么都不熟练，他担心极了。最后谢尔盖使出了杀手锏。

他把自己觉得最困难的部分（大概一分半钟）录制成视频并插进幻灯片中。当演讲进行到这一部分的时候，谢尔盖对大家说："我特意为你们录制了这段视频，请大家观看！"，然后点击了播放键。视频播完后，他稍稍冷静了下来，继续说下去。

"真不错！"老师边称赞边给他打了满分，"我能看出来你在台上演讲很不自在，可能你还需要更多的练习。但是不得不说，你设计的这个小环节巧妙地躲开了你的弱项，可谓煞费苦心啊！"

看到了吗，演讲其实没有统一的模式，寻找一个对你和对听众都方便的形式就好。

这是我特意为你们录制的视频。

第9章
如何让听众不讨厌我？

本章讲什么？

如果你在某一天要做一个重要的演讲，那么你的情绪在那一天可能会变得异常焦躁。直到演讲结束后，全场掌声雷动，大家交口称赞，这时候你才会感觉自己如释重负，身轻如燕。这就是演讲前后你会经历的感受。

受紧张情绪的干扰，也许你会在早晨出门前与父母拌嘴，可能会把鸡蛋煎糊，或者忘记带伞，被突降的大雨毁掉发型和西装，或者在路上魂不守舍地撞到行人……这都是有可能会发生的情况。在本章中我们将讨论在演讲前、中、后应该如何调整心态，做到心平气和地与人交流。

如果不想和别人说话，为什么还要搭话呢？

好吧，就算你心情低落不想说话，也不要暴躁地对待他人。比如虽然对瓦夏来说，本周的演讲是最令他放不下的头等大事，但对祖母来说，她心里想的可能是："哦，瓦夏要做一个关于蝴蝶的汇报，挺短的，只有5分钟。除了他之外，还有15个同学也要演讲。"祖母怎么都想不明白，为什么她心爱的孙子瓦夏会在吃早餐的时候突然对她大喊大叫，因此祖母生气也是在情理之中的。

如果你的坏情绪没有造成什么严重的后果，那可能是因为父母听说你最近有一个重要的演讲，所以对你的出格行为特别包容。即使你真的把咖啡杯摔到墙上，他们也会对此表示理解，默默忍耐你的坏情绪。

1 首要准则：不要把紧张情绪发泄到亲近的人身上。告诉他们："我太担心演讲了，要是做出什么反常的行为，请你们原谅。"

噢，原来是这么回事。真是没想到，不过看上去这个演讲还挺有意思的。

这是瓦夏要做的演讲……

大事记

演讲

瓦夏

蝴蝶

恭候各位

19:00

喵呜

2 第二条：把演讲稿和幻灯片都打印下来，
随身带好 U 盘和备用 U 盘。

准备充分会让你有一种胜券在握的感觉。即使你在上学的路上突然发现自己忘词了，也可以打开纸质演讲稿随时回忆一下。如果你突然感到很紧张，担心一会儿 U 盘打不开，你可以宽慰自己：没关系，还带了备用 U 盘。有的人还会把文件保存在多个软件中，或用电子邮件发给自己，这也是一个多重保险。

我认为上述方法非常奏效。有一次，我要发表一个非常重要的演讲，出席这场演讲的还有位高权重的贵宾。由于太过紧张，我忘记把 U 盘装进包里了。这种事情之前在我身上从没发生过，我总是在出发前按照备忘录核对一遍，看看自己是否带全了东西。没想到这次在这种重要的场合却出了差错。

我在演讲开始前15分钟的时候突然想起自己没带 U 盘。庆幸的是，我的电子邮箱中有全部所需的文件。我迅速登录电子邮箱，将文件复制到桌面，然后开始了演讲。还好，有惊无险。

简而言之，不要忽视邮箱或云备份的作用，关键时候它们可以成为你的救星。

给你 U 盘！把里面的文件传到网盘。

我准备了好多 U 盘。

第三条：化焦虑为力量。

我们已经在第6章中提到了如何化焦虑为力量。如果在演讲前一个小时里你突然想要演讲赶紧开始，请不要感到惊讶。要知道，几乎所有的孕妇在离预产期还有一两个月的时候，都非常想早点生孩子。你可能觉得很奇怪，生孩子多疼啊，怎么会有人想早点生呢？但是你想想，等待是多么令人筋疲力尽的事情啊！许多人一旦意识到不久之后会有大事发生，他们会希望那一刻赶紧到来！

赶紧开始演讲吧！结束了就可以肆无忌惮地躺着睡大觉了……

演讲前惊心动魄的半小时要如何度过？

可能你会对下面我们要提到的建议感到惊讶，但请相信我们，这些建议经过了时间的考验，也经过了许多人（内向者、外向者、新手演讲者、经验丰富的演讲者等等）的验证，绝对是有效的。

这个建议就是：让自己单独待一会儿，尤其是演讲前的最后15分钟。这一点非常重要，独处可以帮助你集中精力，进入演讲状态，回忆一下重点、难点及相应的处理办法。

当然了，对于知名演讲者来说，只要他提出要求，主办方肯定会给他安排一个单独的房间。在这个房间里，演讲者自主安排准备工作，当听到主持人宣布该他上场后才会走上讲台。

一般来说，如果听众刚刚进入大厅陆续就座时演讲者就已经上台了的话，演讲者会感到非常局促。这个时候他应该做些什么？与观众互动交流？若无其事地做自己的事情？还是坐在椅子上休息一下？老实说，这都不是什么好

尽量在最后一刻再登台，越晚越好。

真美！

方法。

如果主办方没有准备单独的房间怎么办呢？去哪里可以寻得片刻安宁呢？如果你们学校是那种带有宽窗台的老式建筑，那么你可以去窗台上试试。坐在上面，拿起演讲稿多读几遍。或者，你可以找一间会议室，在里面尽情放松自己，暂时忘记讲台上的一切。

一些孩子表示，他们有时候会把自己锁在卫生间里冷静一下，但有时候后面的人等不及了会疯狂敲门，非常扫兴。所以，如果你想把卫生间当作临时庇护所的话，请先考虑一下卫生间的拥挤程度。

然后是什么么呢？

也就是说，演讲前最好不和别人交流？

对的！要把临上场前的这段时间留给自己。你所有的想法、情绪和兴奋统统都要保留。即使在演讲前的几秒，也最好什么都不说。

还记得吗？我们在第5章已经讲过，不要在还没上台站定之前就急着开场，给自己和观众一点冷静的时间，让每个人都以最好的状态迎接这场演讲。

然而现实的情况是，在上场前与别人零互动是不可能的。你必然要进行一些简短的对话，比如请朋友帮你录像。如果你不能使用手机的话，那么可以让现场的朋友帮你提提意见，看看着装有没有需要调整的地方。

观看自己的演讲视频并不是什么享受的事情。你会不停地吹毛求疵直到崩溃，然后质问自己："我怎么看起来这么吓人？！为什么我说得结结巴巴？！为什么声音这么沙哑？！我这是什么手势？为什么我的手指总是像蛇尾巴一样动来动去？！"

自己总是最挑剔的那个听众。即便是有经验的演讲者也不喜欢看自己在镜头里的样子，他们会在自己身上找出无数个错误，无限放大。实际上大多数坐在大厅或课堂上的听众甚至不会注意到演讲者的这些问题。

看完视频后，你就知道自己哪些地方需要改进了。如果你一点都不喜欢自己在视频中的样子，那就下次好好表现吧！

现在该关闭视频，登台与大家见面啦！

我在视频里的样子太可怕了……

而我无论身处何地永远是那么迷人！

如何和听众互动？回答大家的问题吗？

是的，在演讲的开头你就要告诉大家，演讲将持续多长时间以及你会利用多长时间来答疑解惑（一般这个环节设置在演讲结束后）。

现在，回答以下问题。玛莎和达莎都做了演讲。玛莎告诉听众，演讲将持续10分钟，结果讲了12分钟。达莎告诉听众，演讲将持续10分钟，结果讲了8分钟。听众会更喜欢谁的演讲呢，玛莎还是达莎？正确答案是达莎。

当你宣布要讲10分钟时，听众已经为你准备好了10分钟的注意力。如果到了时间你迟迟没有结束，听众就会觉得你在浪费他们的时间。但如果你只讲了8分钟，听众的反应就会恰恰相反，觉得你赋予了他们2分钟的自由。想一想，同样的事情也发生在老师身上：如果下课铃响了，老师不让你下课，那一刻你会怎么想？当然不会是"天啊，我们的老师多么棒啊！"

所以不要拖延时间，最好多花时间回答一些听众的问题。

你选8分钟还是10分钟？

这张幻灯片里是我对公式的推导过程。接下来，让我们一起学习一下普法夫值。

老天呀！他怎么没完没了？

受不了了……

都讲了一个小时了，说好的10分钟呢？

如果我说可以回答大家的问题了，但是没有人提问怎么办呢？

很高兴你能在演讲之前提出这个困惑。第一个提出问题的听众总是需要鼓起很大的勇气，大家的顾虑很多，可能会担心自己的问题很愚蠢，或者觉得自己的问题太普通了。总之，这些顾虑会导致全场鸦雀无声，无人提问，这种状况会导致演讲者也很窘迫。

1 有两种方法可以解决这个问题。第一种方法经常被大型公开演讲采用，就是演讲前跟朋友打好招呼，让他第一个向你提问。你甚至还可以和他沟通好问什么问题。

新闻发布会上的答记者问环节也会使用这种方法。有时为了增加现场的真实感，记者可能还会犹豫再三才提问。有时是为了让第一个提问的记者用提前设计好的问题诱导其他的记者提问。这种方式有时管用，有时不管用。不管怎么说，有了朋友的帮助，你能在讲台上更加从容。

2 第二种方法是你先问自己一个问题。例如，你可以说："每次我跟别人讲到蝴蝶时，经常会被吐槽：'你又在说你的蝴蝶，难道真的没有其他话题了吗？'但是蝴蝶真的是一种很神奇的昆虫啊。"，然后再简短地告诉大家，蝴蝶神奇在何处。如果你能举出一个贴近现实生活的例子，那就太好了，一般来讲，这样的例子会鼓励听众提出更多的问题。

许多人问我为什么总是在讲猫粮。猫粮这么好吃，吃上一口多满足！

如何回答别人的问题呢？
长一点好还是短一点好？

不要三言两语敷衍听众，语言要凝练有内涵。不要把话说得太绝对，记得给听众留下一些探索的空间。这一问一答就像打乒乓球，球不应该只在一侧的球台上蹦跶。

如果我不知道问题的答案该怎么办呢？

也许你在网上看过2019年秋天特别火的一段视频，记者问一位年轻的市议员："为什么北极熊不吃企鹅？"市议员回答道："企鹅的声音太大，会吓跑北极熊。"

事实上，这位市议员对于为什么北极熊不吃企鹅根本没有概念，一看到镜头就发懵了，后来大家都开始嘲笑他的回答。现在你知道为什么北极熊不吃企鹅了吗？没错，因为北极熊生活在北极，企鹅生活在南极。他们之间相隔将近20000公里，跑这么远去吃饭也太不现实了吧，你同意吗？

听完这个例子，想必你已经明白遇到不懂的问题应该如何作答了吧。就老老实实地说："我不知道。如果这个问题很重要的话，我可以去找资料，弄明白之后一定会告诉你！"这样的话就不会有人嘲笑你无知了。

一般来说，如果听众向你提出问题，那就太好了。这意味着大家在认真听讲，你的演讲是成功的！

吼

还有一个小细节要注意

可能不是每个有疑问的人都有提问的机会。所以请将你的电子邮箱地址或你的社交媒体账号放到幻灯片的最后一页，邀请所有人线上发送问题和评论。这些细节可以彰显你对与听众交流的兴趣以及对听众意见的重视。

出问题了怎么办呢？

有一个名叫尼古拉的孩子，他要在一个生物主题的会议上做一次演讲。但万万没想到他的演讲题目与一位名叫万尼亚的演讲者的题目撞车了。万尼亚如临大敌，视尼古拉为自己的头号竞争对手，一点也没有表现出绅士风度。在尼古拉演讲的时候，他开始在座位上大喊大叫，对尼古拉提出质疑。起初，尼古拉并没有理会他，但这反倒助长了万尼亚的嚣张气焰。他咄咄逼人地叫嚷道："回答我的问题！还是说你根本就不懂这个？！"

老师也一头雾水，不知道该如何应对这个捣蛋鬼。尼古拉觉得再继续放任万尼亚不管的话，他的演讲就毁了，于是凭着直觉说道："我很乐意回答你的问题，但要在我的演讲结束以后。否则，我不会作答。"

"不行！"万尼亚一直不松口，"我现在就要你回答。"

"也行，"尼古拉点点头，"由于你的问题和我演讲的内容不太相关。不如我们发起一个投票，如果投票结果证明在场的五十个人中大多数人想让我先演讲再讨论你的问题，我会继续我的演讲，请你再等六分钟。如果大家投票希望我讲讲你说的问题，那我就听从大家的意见。谁想继续听演讲，请大家举手！"，尼古拉转身问听众。

除了万尼亚，几乎所有人都举起了手。于是尼古拉微笑着继续演讲，万尼亚气急败坏，却又无可奈何，只好作罢。

像万尼亚这样的演讲破坏者还真不少！几乎每个演讲者都遇到过。有的人在台上讲得热血沸腾，台下却有一半的听众都已经离席了；有的人突然遭遇停电；有的人正讲着，却被一只老鼠打断了，听众纷纷尖叫着从座位上跳起来；诸如此类的突发状况不计其数。

这时候应该怎么办呢？有三个原则你可以记一下。

▷ 原则一：不要假装什么都没有发生，要迅速做出反应！

▷ 原则二：请善待演讲"破坏王"。如果有人故意干扰演讲秩序，全场听众都会反感他。但是一旦你和他发生小冲突，听众会立即变身"吃瓜群众"，不再关注你的演讲。

▷ 原则三：如果破坏者像尼古拉那样，那么你可以建议他私下找你，不要浪费大家的时间。这一点很重要，可以赢得听众的好感。因为此举体现出你在意的是听众而不是只有自己。

自己做！

准备一个关于"演讲时如何应对难缠的听众"的简短演讲，并在课堂上进行展示。当然，你可以直接应用本章所讲的内容。同时，不要忘记在演讲开始前告诉大家，演讲和提问环节分别会进行多长时间。

听到要提问，你的同学可能会有些诧异，但是别慌，如果你的演讲足够吸引人，肯定会有人提问的，没准老师也会支持你，鼓励全班同学在演讲结束后积极提问。

把你想说的记在这里吧。

演讲时如何应对
难缠的听众

道理我都明白了，然后要做什么呢？

不能做	可以做
• 在演讲前强迫自己和别人聊天。	• 演讲前单独待一会儿，整理一下思路，看看资料。
• 把不良情绪发泄到他人身上。	• 真诚地告诉大家，由于要准备演讲，自己很紧张，可能会有些失态，请大家多包涵。
• 演讲完立刻离场。	• 请听众积极提问。

不好

担心　紧张

霍马，这是颁发给你的奖章——"霍马英雄奖"

谢谢！

奖章

举个例子

丽莎被选为学校的学生会主席。在第一次例会上，她需要发表演讲，介绍并安排学生会的主要工作。实际上，并不是学生会里的每个人都赞成丽莎当选，他们当中有很多人都觊觎学生会主席这个职位。丽莎的演讲被一个名叫薇拉的女孩频频打断，这个女孩显然就是在故意捣乱。

丽莎急中生智，她说："这样吧，请给我五分钟的时间做完演讲，然后我们分成两组：支持我的为一组，支持薇拉的为一组。我们一起讨论学生会可以做出哪些改进，就当我的演讲为各位抛砖引玉吧，希望大家多多提出宝贵意见。"

当然，第一个提出合理建议的是薇拉团队。不得不说，她们团队提出的建议非常实用。丽莎的态度让薇拉觉得自己受到了尊重，于是她决定将原本的怒气转变为真心的建议。后来，丽莎和薇拉一起在学生会努力工作，互相扶持，成了一对默契的搭档。

真是个好主意！

你的这个想法也不错！

135

第10章

为什么演讲者的个性比发言更重要？

本章讲什么？

有时候会发生一些让人非常愤慨的事情。你一切都准备得妥妥当当，挑好了图片，设计好了开场白，排练了演讲，在演讲过程中没有卡壳，也进行了适当的停顿……整体而言你的演讲是成功的，大家也都纷纷鼓掌并提出了问题。

在你之后演讲的是一个准备不足的人，他制作的幻灯片非常简陋（甚至可能根本没有准备幻灯片，全程就用了一下白板），而且他的发言还超时了。但是出乎意料的是，他获得的掌声比你还多。而你自己也感觉到，他赢了你。这究竟是为什么呢？你该如何战胜别人呢？这是我们在最后一章中要讨论的问题。

> 这是为什么呢？你上场纯属就是一个意外，怎么还能让大家这么喜欢你呢？

> 我可是科特！喜欢我是理所当然的！

为什么有些准备不充分的人反倒表现得更好？秘诀在哪里呢？

噢？秘诀是什么呢？

秘诀不在于对方准备工作做得少。如果准备得当，他的表现只会更好，所以无论如何，准备工作都是必要的。这里的秘诀在于自信。

听众可以敏锐地感知到演讲者的自信。
演讲者越自信，听众就越觉得他值得信赖。

自信可以带给人无穷的力量。人们接收到了演讲者的能量，感受到了他内心的欢愉，所以当他出现在讲台的那一刻起，整个人都在闪闪发光，听众的心也会随之雀跃。如果一个人目光如炬，轻松从容，那么即使他在演讲的时候犯了一些小错误，只要真诚道歉，听众也会选择原谅，并被他的坦然打动。

参加郊外野营的队员每天早上都必须做操。三百多人集结在大操场上，辅导员站在他们面前的高地上领操，带着大家一起做动作：扩胸运动、伸展运动、踢腿运动……总的来说，没什么好玩的，大家做操就像例行公事。

科特的演讲可谓一绝！

所以说我们觉得科特就是演讲天才！

是的，科特确实很厉害！

有一天，轮到吉娜领操了。老实说，吉娜的运动细胞不算发达。但是规定就是规定，必须得遵守，吉娜再怎么心里打鼓也还是要领操。

于是吉娜只好硬着头皮上台了。她环顾台下三百多名孩子，说道："你们是不是特别想看我做操？但是我今天不会直接给你们展示出来，因为我做得不好，怕你们看笑话，让我们先一起做个游戏。我做几个拆解的动作，谁先猜出来我做的是第几节，谁就是好样的！"

那天早上，营地里的人里三层外三层围着吉娜看她做操，吉娜特意把动作做得特别夸张，边做还边自嘲。

第二天早上，大家都喊吉娜上台："吉娜！让吉娜领操吧！"于是吉娜成了营地里的明星辅导员。尽管第一次做操时她感到焦虑、沮丧、尴尬，却没想到大家的反响这么热烈。

看这个动作像不像一只海豹？

简直一模一样！

像海豹过栅栏？

挪着去吃小甜饼！

哈哈哈，我这样也像一只海豹！

哈哈哈哈哈，我这样像怀孕的海豹！

可是，做操是一回事，演讲是另外一回事啊！

假设你要做一个严肃的报告，你觉得应该给听众分享知识，可是只有知识真的够吗？远远不够。人们希望从演讲中得到的不仅是知识（有时甚至不需要那么多干货），他们更希望演讲能够触动他们的情感，让他们增长见识。例如，很多人都喜欢吃肉。但很少有人会说："我最爱的就是不加盐、不加任何香料煮熟的白肉。"你要知道，当人们说"我爱吃肉"时，他们喜欢吃的要么是软嫩的牛排，要么是多汁的排骨，要么是焦香的烤肉……总之，大家喜欢的肉是经过一道道工序加工好的肉食，而不是嚼之无味的煮熟的肉。

演讲者的个性就像这些让肉变得独具风味的香料。如果只是把教科书上的信息搬过来塞给听众，那就和不加盐、胡椒、酱油的白水煮肉一样，索然无味。

再加一些胡椒、桂皮和酱油！

一位出色的演讲者不会照本宣科地做知识的搬运工，而会尽可能地让发言变得妙趣横生。

演讲

139

也就是说，要表现得自己很享受演讲？可是我真的很害怕啊！

这是一个很好的问题，但是要想回答它可不简单。

一方面，你可以假装喜欢演讲，自我暗示法对一些人非常有效。可能之前他们有演讲恐惧症，但在心里默念儿遍："啊，我热爱上台演讲。"五分钟过后就可以如鱼得水地演讲了。有些自我调节能力超群的人可以自由切换状态。

当然了，你也可以把这种方法看成是一种自我欺骗。但是，为什么不试一试呢？试着说服自己爱上演讲，就算你不能百分之百相信自己，至少也可以稍微减轻你的焦虑。

另一方面，拒绝接受自己的真实感受意味着不真诚，再怎么掩饰都会引起别人的注意。你是不是总能看出好朋友的情绪状态？就算他佯装开心，口口声声告诉你："没事，我一切都好！"，你还是能觉察到一丝不对劲。

简而言之，如果你真的很焦虑，也根本不擅长黑色幽默，那就不要强装镇定或是假装幽默了，会很不自然。

我……我不害怕，我一定可以的。

为什么你在梯子上演讲啊？

霍马，别怕，我在下面撑着你呢！下来就是地毯了！

讲台

怎么办？我也想成为一个出色的演讲者！

做你自己就好。这正是自信的来源——不要试图成为某个人，从容地向听众展示真实的自己就好。你知道自信的人有多强大吗？不要试图隐藏自己的紧张，把犯错也当成自我成长的一部分。一次次的锻炼赋予我们勇气和信心，以及人们常说的自信带来的魅力。

如果一个人确定自己就是最棒的，听众又怎么会怀疑呢？

相信我，你也能够成为最好的演讲者，而且是独一无二的演讲者。因为没有人可以和你讲得一模一样，你无可替代。

既然大家对关于蝴蝶的演讲都已经听腻了，那我就乔装打扮一番给大家换换口味！

真是不走寻常路呢！

哇！妮娜，你穿带翅膀的衣服真好看！

什么？之前说要学习演讲技巧，现在又让做自己？

等等，请你把这一章的内容读完再下结论。我们鼓励你做自己并不意味着让你随心所欲，盲目自信。做自己意味着主动了解自己并观察别人如何看待你，他们对你的哪些表现反响强烈？他们喜欢你讲笑话还是真情流露？他们喜欢你华丽的服装和粉红色的头发还是修身严肃的正装？他们喜欢你节奏轻快、情感充沛还是停顿有序，轻声细语？

在下一次演讲中试着分析一下大家对你不同言辞、手势和风格的反应。一旦你找到了适合自己的路就可以沿着它走下去。

我们是在讨论演讲风格吗？

你问问科特，我做得挺好的……

别斯，你按得挺好啊！

如果你还询问了周围的朋友，那就更好了。找一些要好的，并且言语得体的朋友问问你擅长什么风格的演讲。为什么要找一些言语得体的朋友呢？因为有些人爱冷嘲热讽，这些话会深深刺痛你的自尊心，让你之后没有演讲的欲望。毕竟，你的目的不是挖掘自己的缺点，而是关注优点，掩盖不足。

有一个男孩的演讲总是特别受欢迎。虽然他老是面无表情地讲一些奇怪的话，但是大家都听得津津有味。

例如，有一次他说："在离跨年还有10分钟的时候，爸爸妈妈突然消失了，不知是吵架了还是出去散步了。这时候哥哥把女朋友带回了家。（妈妈、爸爸、奶奶，甚至我们家的猫都不喜欢这个姑娘）。哥哥和女朋友喝着香槟准备欢度新年，我在公寓里走来走去，烦躁不安。这算什么新年！难道这就是我梦寐以求的新年吗？没有人给我盛装打扮，没有人让我念祝酒词，没有过年的忙忙碌碌……

正当我自怨自艾的时候，大家又奇迹般地聚集在我的身边，气氛变得热烈起来：爸爸拍了一下我的背，妈妈把一件白衬衫套在我身上，哥哥和女朋友互相敬酒，奶奶递给我一个小礼物……"

没有一点过年的气氛……

快穿上白衬衫！

干杯

就是这件！

143

他说这话时的表情就像一口吞了两个柠檬一样，有苦难言，我们都忍不住笑了起来。

"你的演讲太有意思了。"其他学生在演讲结束后过来问他，"这个故事是真的还是你编的？"

"是我在路上想出来的，"他耸了耸肩，"事实上，这不是我的故事。"说完，他沉默了，停顿了很久，然后轻声说："但是这样的事儿在生活中还挺多的啊。"

突然大家都明白了，这就是他的讲话风格。演讲时如此，生活中更是如此。他没有在表演，这就是他在生活中真实的样子。

顺便说一句，后来男孩坦白，起初他想成为一个幽默的演讲者，于是他在讲台上不停地开玩笑，但是后来他觉得这样太假了！现在呢，他那苦涩风格的演讲虽然讲的不是自己的真实经历，但是他语气很真诚，让听众感觉那些事就像真的发生过一样！

找到真正的自己！

科特！我怎么才能赶得上你呢？

如果我还是找不到自己的
演讲风格怎么办呢？

非常简单。搜索"脱口秀"或"TED演讲"，仔细观看其他演讲者是如何在讲台上表现的。你会发现，原来有这么多种演讲风格！然后站在镜子前，试着模仿从别人那里学到的演讲风格。练着练着，你就会突然意识到："哦，这种风格比较适合我！我应用起来比较容易！"那么这就是你的风格啦！

以防万一，你可以用选中的演讲风格再表演一次，这次用手机录制下来，然后回看视频。怎么样，感觉还不错吧？如果你心存疑虑，还可以将这个视频拿给自己的好朋友看，让他们提出宝贵意见！

当然，你不可能百分之百地复制一个著名演讲者的风格。你早晚有一天要走自己的路，但是这条路可以从站在镜子前尝试不同的风格开始。

演讲的时候要不要做手势呢？

都可以的！只要你找对了自己的风格，手势应该如何摆，如何走上讲台，是坐着还是站着演讲，这些都是小问题了。你的心里只需要想着演讲的话题，胳膊和腿就会自然地摆动起来。当然了，即便你找到了自己的风格，发现已经做得很好了，也不要轻视演讲前的准备工作。

我找到了最佳风格！

那些疯狂的画家都是这样演讲的。

出问题了怎么办呢？

阿尔宾娜很快就找到了自己的演讲风格。她学习成绩优秀，自视甚高，穿戴讲究，觉得自己和那些灰头土脸的同学一点也不一样。但是当她演讲时，并没有获得雷鸣般的掌声，就连平时很喜欢她的老师们也会偶尔皱起眉头。这是怎么回事？阿尔宾娜百分百确定，自己就是在"以自己的风格"做这场演讲。"他们肯定是嫉妒我！"阿尔宾娜在心里这么想。

有一次，阿尔宾娜在做报告时说错话了，漏掉了一个单词的字母，而且说得还很大声。全场听众一阵骚动，然后齐刷刷地哈哈大笑，仿佛都在看她的笑话。没有一个人站出来鼓励支持阿尔宾娜，没有一个人出来救场，大家就这么嘲笑着她，仿佛等这一刻已经很久很久了。

这件事之后，阿尔宾娜来找我们，让我们帮她分析为什么同学们会对她这么残忍。你是不是已经猜到是怎么回事了？阿尔宾娜平时太孤芳自赏了，而且她把这种个性带到了讲台上，而同学们非常反感她目中无人的样子，所以希望看到她在讲台上出丑，如此一来就可以坐在台下幸灾乐祸了。没有人喜欢被别人轻视。做自己没错，但与此同时，你需要尊重他人，体谅别人的感受。

我们请阿尔宾娜列一个清单，让她列出同学们身上值得学习的20个优点。起初，阿尔宾娜堵气地列出了"说脏话"和"逃课"之类的缺点，并且不服气地说道："你们难不成觉得我需要学习这个？！"但是随着我们分析的深入，她列出的内容悄然发生了变化，其中第二十条是这样的："我可以在他们的身上学习友善待人。"

"我明白了，"阿尔宾娜承认，"即使在我看来，我比班上的任何一个人都聪明，那也没有资格不尊重别人。因为在一件事上我比其他人做得好，但是在另一件事上其他人可能比我做得更好。"

在一件事上我比其他人做得好，但是在另一件事上其他人可能比我做得更好……

1. 贪玩
2. 骂人
3. 起外号
4. 身上有味儿
5. 说闲话
6. 旷课
⁓⁓⁓⁓⁓
20. 友善待人

阿尔宾娜终于意识到了自己的错误。

自己做！

实际上，我们已经在本章中布置了任务：观看 TED 演讲视频，然后站在镜子前尝试不同的演讲风格。哪一种适合你呢？

道理我都明白了，然后要做什么呢？

不能做	可以做
• 百分百复刻知名演讲者的表演。	• 找找自己之前的演讲视频，看看哪种风格最适合自己，之后就可以沿用这个风格。
• 强迫自己适应不合适的风格。	• 对着镜子练习多种风格的演讲，找到最适合自己的一种。
• 不尊重听众，表现出轻蔑的态度。	• 举止大方，尊重听众。

只剩一件事了，做完就可以休息喝茶了！

举个例子

我们把乔治叫作"消防车"，因为他的头发被染成了鲜红色，衣服也是绚丽多彩的，还经常穿着带有小亮灯的运动鞋。全班同学都表示对他的言行有意见，因为他总是肆无忌惮地做一些无厘头的手势，胡言乱语，甚至放声尖叫。他演讲的时候声音更是震耳欲聋，可想而知，那么大的音量并不会吸引大家的注意力，只会让人更心烦。

然而，有一天他突然改头换面了，我们甚至都没认出他来！他的头发剪短了，穿着普通的蓝色牛仔裤和纯白色的 T 恤。

"乔治？！是你吗？"大家都惊呆了。

"是的。"他微笑着回应了我们，"关于我的个人风格，我想了又想，决定不再追求标新立异了，还是舒服自在比较好。其实我觉得这样简简单单的穿着就很自在，比整天穿得像是要去夜店蹦迪

是的，这是我，乔治。

一样要好。理发的时候我才注意到，原来我的头发竟然这么长了，早该剪了。"

乔治的说话风格也突然改变了。他变得和大家一样彬彬有礼，不再大喊大叫，但同时又保留了一丝个人风格。他的音量比一般人稍大，吐字清晰，底气十足，听上去让人感觉特别舒服。从那以后，乔治不再强迫自己追赶所谓的时髦了，而是找到了最适合自己的风格。

你也可以找到自己的风格！成为一名优秀演讲者的前提是找到自己的定位，正确的自我认知除了对演讲有用，在其他场合也大有裨益。

我们相信，你一定能够成为备受瞩目的演讲大师！

结语

将来有一天，你会成长为一名大学生、实习生甚至是公司老总，你终将要为论文答辩、项目介绍或公司年会做准备，到时候你可以再把这本书拿出来读一遍！我们在这本书里为你提供的建议在各种场合都能派上用场。

你还记得在本书的开头我们对演讲类型做过划分吗？在所有划分演讲类型的标准中唯独不包括演讲者的年龄。从来没有儿童演讲或者成人演讲这种说法。演讲者可以是学生，也可以是院士，谁发表演讲并不重要，重要的是每个人都必须遵循公开演讲的法则来构建自己的演讲内容，关于这些法则我们在书中已经告诉过你了。

作为青少年，你是幸运的。与20多岁、30多岁、40多岁、50多岁的人相比，孩子更容易学习新事物。因此，我们相信你会比成年人更快地掌握演讲的精髓并在实践中熟练地应用这些知识。而且随着年龄的增长，你的演讲技巧会更加炉火纯青。这意味着在未来你将取得更大的成功，你将成为真正的演讲大师！

你一定会成功的！

是的！